本試験形式！
甲種危険物取扱者

模擬テスト

工藤 政孝 編著

弘文社

ま　え　が　き

　本書は，好評をいただいている「わかりやすい甲種危険物取扱者試験（弘文社刊）」の模擬テスト版です。

　前書にも，出題傾向に沿った問題を豊富に取り入れてありますが，なにぶん，甲種危険物取扱者試験では，第１類から第６類危険物までの幅広い分野から出題されるので，問題はできるだけ多く解いた方がベストであるのはいうまでもありません。

　というわけで，そのニーズに応えるべく，できる限り**最近の出題傾向に沿った問題を厳選し，本試験のスタイルに合った**ように編集し，作成したのがこの模擬テストです。

　その主な特徴は，次のようになっています。

　１．解説できるところは，できるだけ詳細に，また，初心者にも理解できるよう，くわしく解説するように努めた。

　２．問題の配置および出題数を，できるだけ本試験に近い状態になるように努めた。

　３．巻末に，「合格大作戦」と称して，各項目のポイントをまとめたものを付けてあるので，危険物を横断的に理解することが可能になり，また試験直前の知識のまとめにも利用することができる。

など。

　これらの特徴のほか，各所に工夫を凝らした編集を取り入れていますので，受験生の皆様の強い味方になれるものと期待しております。

　本書の問題を繰り返し解答していけば，本試験もそう“恐るる存在”ではなくなるのではないかと思います。

　最後になりましたが，本書を手にされた方が一人でも多く「試験合格」の栄冠を勝ち取られんことを，紙面の上からではありますが，お祈り申しあげております。

目　　　次

まえがき ……………………………………………………… 3
受験案内 ……………………………………………………… 5

○受験の際の注意事項 ………………………………………… 10
○合格一口メモ（試験合格のコツ） ………………………… 12
○本試験はこう行われる ……………………………………… 14

第 1 回テスト …………………………………………………… 17
　　解答 ………………………………………………………… 36
第 2 回テスト …………………………………………………… 61
　　解答 ………………………………………………………… 79
第 3 回テスト …………………………………………………… 103
　　解答 ………………………………………………………… 121
第 4 回テスト …………………………………………………… 149
　　解答 ………………………………………………………… 168
第 5 回テスト …………………………………………………… 191
　　解答 ………………………………………………………… 208

得点アップのための問題プラスα ………………………………… 229
本試験直前模擬テスト ……………………………………………… 237
　　解答 ………………………………………………………… 257
　　合格大作戦その 1　　法令編 ……………………………… 268
　　合格大作戦その 2　　物理・化学編 ……………………… 272
　　合格大作戦その 3　　燃焼編 ……………………………… 281
　　合格大作戦その 4　　消火編 ……………………………… 284
　　合格大作戦その 5　　性質のまとめ ……………………… 285
　　資料 1　　予防規程に定める主な事項 …………………… 291
　　資料 2　　消防法別表第 1 ………………………………… 292
　　資料 3　　危険物一覧 ……………………………………… 294
　　資料 4　　主な第 4 類危険物のデータ一覧表 …………… 299

受　験　案　内

※本項記載の内容は変更されることがあるので，詳細は消防試験センターの受験内容で確認するようにしてください。

1. 試験科目，問題数及び試験時間数等は次のとおりです。

種類	試　験　科　目	問題数	合計	試験時間
甲種	① 危険物に関する法令（法令）	15問	45問	2時間30分
	② 物理学及び化学（物化）	10問		
	③ 危険物の性質並びにその火災予防及び消火の方法（性消）	20問		
乙種	① 危険物に関する法令（法令）	15問	35問	2時間
	② 基礎的な物理学及び基礎的な化学（物化）	10問		
	③ 危険物の性質並びにその火災予防及び消火の方法（性消）	10問		
丙種	① 危険物に関する法令（法令）	10問	25問	1時間15分
	② 燃焼及び消火に関する基礎知識(燃消)	5問		
	③ 危険物の性質並びにその火災予防及び消火の方法（性消）	10問		

2. 乙種における複数種類の受験

　　試験日又は試験時間帯が異なる場合は併願受験が可能な場合があります。詳しくは受験案内を参照してください。

3. 試験の方法

　　甲種及び乙種の試験については**五肢択一式**，丙種の試験については四肢択一式の筆記試験（マークカードを使用）で行います。

4. 受験願書の取得方法

　　各消防署で入手するか，または消防試験研究センターの中央試験センター（〒151-0072　東京都渋谷区幡ヶ谷1-13-20　TEL 03-3460-7798）か各支部へ請求してください。

5. 受験資格

乙種, 丙種には受験資格は特にありませんが, 甲種の場合, 次の受験資格が必要となります。

対象者	内　　　　　容	願書資格欄記入略称	証明書類
〔1〕大学等において化学に関する学科等を卒業した者	大学, 短期大学, 高等専門学校, 専修学校 大学, 短期大学, 高等専門学校, 高等学校, 中等教育学校の専攻科 防衛大学校, 職業能力開発総合大学校, 職業能力開発大学校, 職業能力開発短期大学校, 外国に所在する大学等	大学等卒	卒業証書写し又は卒業証明書 化学に関する学科又は課程の名称が明記されているもの
〔2〕大学等において化学に関する授業科目を15単位以上修得した者	大学, 短期大学, 高等専門学校（高等専門学校については専門科目に限る）, 大学院, 専修学校（以上通算可） 大学, 短期大学, 高等専門学校の専攻科 防衛大学校, 防衛医科大学校, 水産大学校, 海上保安大学校, 気象大学校, 職業能力開発総合大学校, 職業能力開発大学校, 職業能力開発短期大学校, 外国に所在する大学等	15単位	単位修得証明書又は成績証明書 化学に関する授業科目を証明するもの
〔3〕乙種危険物取扱者免状を有する者	乙種危険物取扱者免状の交付を受けた後, 危険物製造所等における危険物取扱の実務経験が2年以上の者	実務2年	乙種危険物取扱者免状写し及び乙種危険物取扱実務経験証明書
	次の4種類以上の乙種危険物取扱者免状の交付を受けている者 ○第1類又は第6類 ○第2類又は第4類 ○第3類　　　　○第5類	4種類	乙種危険物取扱者免状写し
〔4〕その他の者	修士, 博士の学位を授与された者で, 化学に関する事項を専攻したもの（外国の同学位も含む。）	学位	学位記等写し化学に関する専攻等の名称が明記されているもの

なお，過去に甲種危険物取扱者試験の受付を済ませたことのある方については，その時の**受験票**又は**試験結果通知書**（資格判定コード欄に番号が印字されているものに限る。）の原本を提出することにより受験資格の証明書に代えることができます。

6. 受験申請に必要な書類等

一般的に，試験日の1か月半くらい前に受験申請期間（1週間くらい）があり，その際には，次のものが必要になります。

① 受験願書

② 試験手数料：**甲種6,600円**, 乙種4,600円, 丙種3,700円（変動もあります）
所定の郵便局払込用紙により，ゆうちょ銀行または郵便局の窓口で直接払い込み，その払込用紙のうち，「郵便振替払込受付証明書・受験願書添付用」とあるものを受験願書のB面表の所定の欄に貼り付ける。

③ 5の甲種の受験資格を証明する書類

④ 既得危険物取扱者免状
危険物取扱者免状を既に有している者は，科目免除の有無にかかわらず，免状の写し（表・裏ともコピーしたもの）を願書B面裏に貼り付ける。

なお，インターネットによる電子申請も認められるので，詳細は，試験案内か，一般財団法人消防試験研究センターのホームページ（http://www.shoubo-shiken.or.jp/）を参照して下さい。

7. 合格基準

甲種，乙種及び丙種危険物取扱者試験ともに，試験科目ごとの成績が，それぞれ**60%以上**であること（乙種，丙種で試験科目の免除を受けた者については，その科目を除く）。

つまり，甲種では，「法令」で**9問以上**，「物理・化学」で**6問以上**，「危険物の性質」で**12問以上**を正解する必要があるわけです。この場合，例えば法令で10問正解しても，「物理・化学」が5問以下であったり，あるいは，「危険物の性質」が11問以下の正解しかなければ不合格となるので，3科目ともまんべんなく学習する必要があります。

8. その他，注意事項

① 試験当日は，受験票，黒鉛筆（HB又はB）及び消しゴムを持参すること。

　なお，受験票にはパスポートサイズの（3.5cm ×4.5cm）写真を貼って持
参する必要があります。

②　試験会場での電卓，計算尺，定規及び携帯電話その他の機器の使用は
　禁止です。

③　自動車（二輪車・自転車を含む。）での試験会場への来場は，一般的
　に禁止されているので，試験場への交通機関を確認しておく必要があり
　ます。

④　次の場合は受験することができないので注意して下さい。

　1．受験票を持参しない場合

　2．写真を貼っていない場合

　3．本人と確認できない写真を貼っている場合

解答カード（見本）

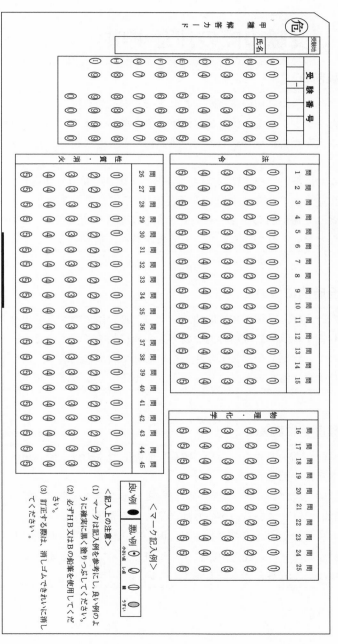

（コピーをして解答の際に使用して下さい）

受験の際の注意事項

1．受験前日

これは当たり前のことかもしれませんが，当日持っていくものをきちんとチェックして，前日には確実に揃えておきます。特に，**受験票を忘**れる人がたまに見られるので，筆記用具とともに再確認して準備しておきます。

なお，解答カードには，「必ず**HB**，又は**B**の鉛筆を使用して下さい」と指定されているので，HB，又はBの鉛筆を**2～3本**と，できれば予備として**濃い目のシャーペン**を準備しておくと完璧です（100円ショップなどで売られているロケット鉛筆があれば重宝するでしょう）。

2．集合時間について

たとえば，試験が10時開始だったら，集合はその30分前の9時30分となります。試験には精神的な要素も多分に加味されるので，遅刻して余裕のない状態で受けるより，余裕をもって会場に到着し，落ち着いた状態で受験に臨む方が，よりベストといえるでしょう。

3．試験開始に臨んで

暗記があやふやなものや，直前に暗記したものは，問題用紙にすぐに書き込んでおこう！

試験会場にいくと，たいてい直前まで参考書などを開いて暗記事項を確認したりしているのが一般的に見られる光景です。

あまりおすすめできませんが，仮にそうして直前に暗記したものは，試験が始まれば，問題用紙にすぐに書き込んでおくと安心です（問題用紙にはいくら書き込んでもかまわない）。

4．途中退出

試験開始後35分経過すると，途中退出が認められます。

乙種の場合は，結構な数の人が退出しますが，甲種の場合は問題数が多いこともあって，ごく少数の人しか退出しないのが一般的です。

しかし，少数とはいえ，自分がまだ半分も解答していないときに退出されると，人によっては"アセリ"がでるかもしれませんが，ここはひとつ冷静になって，「試験時間は十分にあるんだ」と言い聞かせながら，マイペースを貫いてください。実際，2時間半もあれば，1問あたり3分20秒くらいで解答すればよく，すぐに解答できる問題もあることを考えれば，十分すぎるくらいの時間があるので，アセル必要はないはずです。

合格一口メモ（試験合格のコツ）

　ここでは，できるだけ早く合格ラインに到達するための，いくつかのヒントを紹介しておきます。

１．トラの巻をつくろう！

　特に，危険物の性質では，多くの危険物の性状等を暗記する必要があります。これらを，ただやみくもに丸暗記しようとしても，データの量が多すぎてなかなか覚えきれないのが一般的ではないかと思います。

　そこで，本書では巻末に合格大作戦と称して「まとめ」を設けました。この「まとめ」を利用して，自分自身の「まとめ」，つまり，トラの巻をつくると，より学習効果があがります。

　たとえば，液体の色が同じものをまとめたり，あるいは，名前が似ていてまぎらわしいものをメモしたり……などという具合です。

２．問題は最低３回は繰り返そう！

　問題は何回も解くことによって自分の"身に付きます"。従って，最低３回は繰り返したいところですが，その際，問題を３ランクくらいに分けておくと，あとあと都合がよくなります。

　たとえば，問題番号の横に，「まったくわからずに間違った問題」には×印，「半分位解けていたが結果的に間違った問題」には△印，「一応，正解にはなったが，知識がまだあやふやな感がある問題」には○印，というように印を付けておくと，２回目以降に解く際に問題の（自分にとっての）難易度がわかり，時間調整をする際に助かります。

　つまり，時間があまり残っていない，というような時には，×印の問題のみをやり，また，それよりは少し時間がある，というような時には，×印に加えて△印の問題もやる，というような具合です。

　それと，問題を何回も解いていくと，いつも間違える苦手な問題が最後まで残ってくるはずです。

　その部分を面倒臭がらずにノートにまとめておくと，知識が整理されるとともに，受験直前の知識の再確認などに利用できるので，特に暗記が苦手な方に

はおすすめです。

　以上，受験学習の上でのヒントになると思われるポイントをいくつか紹介しましたが，このなかで自分に向いていると思われたヒントがあれば，積極的に活用して効率的に学習をすすめていってください。

本試験はこう行われる

　ここでは，まだ１回も受験を経験していない方のために，とある大学のキャンパスを試験会場と仮定した場合の試験の流れを簡単に説明したいと思います。
なお，集合時間は **9 時30分**で，試験開始は**10時**とします。

1．試験会場到着まで

　まず，最寄の駅に到着します。改札を出ると，受験生らしき人々の流れが会場と思われる方向に向かって進んでいるのが確認できると思います。その流れに乗って行けばよいというようなものですが，当日，<u>別の試験が別の会場で行われている可能性が無きにしもあらず</u>なので，場所の事前確認は必ずしておいてください。

受験生の流れ

　さて，そうして会場に到着するわけですが，<u>少なくとも</u>，　9時15分までには会場に到着するようにしたいものです。特に初めて受験する人は，何かと勝手がわからないことがあるので，十分な余裕をもって会場に到着してください。

2．会場に到着

　大学の門をくぐり，会場に到着すると，図のような案内の張り紙が張ってあるか，または立てかけてあります。

　これは，受験票に書かれてある番号の教室がどこにあるか（または，どの受験番号の人がどの教室に入るか）という案内で，自分の受験票に書いてある番号と照らし合わせて，自分が行くべき教室を確認します。

案内板

3．教室に入る

　　自分の受験会場となる教室に到着しました。すると，教室の入口のドアや黒板のところに，図のような書き込み張り紙などがしてあります。

```
○－0191    0208    0225 │ 0242    0259    0276
     |        |       |  │   |       |       |
   0197    0214    0231 │ 0248    0265    0282
```

座席の位置

　　これは，どの受験番号の人がどの机に座るのか，という案内で，自分の**受験番号**と照らし合わせて自分の机を確認して着席します。

4．試験の説明

　　9時30分になると，試験官が問題用紙を抱えて教室に入ってきます。従って，それまでに<u>トイレは済ませておきます</u>が，試験官が入ってきてから，トイレタイムを取る場合が多いようです。

　　その内容ですが，試験上の注意事項のほか，問題用紙や解答カードへの記入の仕方などが説明されます。それらがすべて終ると，試験開始までの時間待ちとなります。

5．試験開始

　　「それでは，試験を開始します」という，試験官の合図で試験が始まります。初めて受験する人は少し緊張するかもしれませんが，時間は2時間30分と十分すぎるほどあるので，ここはひとつ冷静になって一つ一つ問題をクリアしていきましょう。

　　なお，その際，難しい問題だ，と判断したら，とりあえず何番かに答を書いておき，後回しにすれば，「時間が足りなくて全問解答できなかった…」などという後悔をせずにすみます。

6．途中退出

　　試験開始から35分経過すると，試験官が「それでは35分経過しましたので，途中退出される方は，机に張ってある受験番号のシールを問題用紙の名前が書いてあるところの下に張って，解答カードとともに提出してから退出して

ください。」などという内容のことを通知します。

　これが乙種の場合だと，少なからずの人が席を立って退出するのが一般的ですが，さすがに甲種の場合は，そうではないようです。

　しかし，少ないとはいえ，自分がまだ半分も終了していないのに退席されると，人によっては"アセル"かもしれませんが，ここはひとつ，そういう"雑音"に影響されずにマイペースを貫きましょう。

7．試験終了

　試験終了５分ぐらい前になると，「試験終了まで，あと５分です。**名前や受験番号**などに書き間違えがないか，もう一度確認しておいてください」などという内容のことを試験官が口にするので，その通りに確認するとともに，**解答の記入漏れ**が無いかも確認しておきます。

　そして，12時になって，「はい，試験終了です」の声とともに試験が終了します。

以上が，本試験をドキュメント風に再現したものです。

　地域によっては多少の違いはあるかもしれませんが，おおむね，このような流れで試験は進行します。

　従って，前もってこの試験の流れを頭の中にインプットしておけば，さほどうろたえる事もなく，試験そのものに集中できるのではないかと思います。

　ぜひ，持てる力を十二分に発揮して，合格通知を手にしてください！

甲種危険物取扱者

模擬テスト

（注）　模擬テスト内で使用する略語は次の通りです。

　　　法　令…………消防法，危険物の規制に関する政令又は危険物の規制
　　　　　　　　　　　に関する規則

　　　法………………消防法

　　　政　令…………危険物の規制に関する政令

　　　規　則…………危険物の規制に関する規則

　　　製造所等………製造所，貯蔵所又は取扱所

　　　市町村長等……市町村長，都道府県知事又は総務大臣

　　　免　状…………危険物取扱者免状

　　　所有者等………所有者，管理者又は占有者

　　　　　　　　　　（本試験でもこの注意書きは書かれてあります。）

第1回

═危 険 物 に 関 す る 法 令═

問題1

　下の表は，危険物の類ごとに，性質及び品名をA～Rで示したものである。その性質及び品名をA～Rの中で，誤っているものだけを集めた組み合わせは，次のうちどれか。

類別	性　　質	品　　　　名	
第1類	A：酸化性液体	G：無機過酸化物	H：硝酸塩類
第2類	B：可燃性固体	I：硫化リン	J：黄リン
第3類	C：自然発火性物質及び禁水性物質	K：アルキルアルミニウム L：赤リン	
第4類	D：引火性液体	M：特殊引火物	N：アルコール類
第5類	E：自己反応性物質	O：硝酸エステル類	P：アゾ化合物
第6類	F：酸化性液体	Q：過塩素酸	R：過酸化水素

(1)　AとJとL

(2)　BとKとL

(3)　DとIとO

(4)　EとJとL

(5)　EとIとO

問題2

　法令に定める第4類の危険物の指定数量について，次のうち誤っているものはどれか。

(1)　特殊引火物の指定数量は，第4類の危険物の中で最も少ない量である。

(2)　第1石油類の非水溶性液体と，アルコール類の指定数量は同じである。

(3)　第2石油類の水溶性液体と，第3石油類の非水溶性液体も指定数量は同じである。

(4)　第1石油類，第2石油類及び第3石油類の指定数量は，各量とも水溶性

液体の数量が非水溶性液体の 2 倍となっている。

(5) 第 3 石油類の水溶性液体と非水溶性液体の指定数量の和と，第 4 石油類の指定数量は同じである。

問題 3

法令上，特定の製造所等において定めなければならない予防規程について，次のうち誤っているものはいくつあるか。

A 予防規程を定めたとき及び変更したときは，市町村長等の認可を受けなければならない。

B 予防規程は，指定数量の倍数が100以上の製造所等において定めなければならない。

C 予防規程は，製造所等における自主的な保安基準としての意義を有するもので，所有者等が定めなければならない。

D 消防署長は，火災予防のため必要があるときは，予防規程の変更を命ずることができる。

E 製造所等の所有者等及び全ての従業員は，予防規程を守らなければならない。

(1) 1つ　　(2) 2つ　　(3) 3つ　　(4) 4つ　　(5) 5つ

問題 4

法令上，製造所等の位置，構造又は設備を変更する場合において，完成検査を受ける前に当該製造所等を仮使用するときの手続きとして，次のうち正しいものはどれか。

(1) 変更工事にかかわる部分以外の部分の全部又は一部の使用について，市町村長等に承認申請をする。

(2) 変更の工事にかかわる部分以外の部分の全部又は一部の使用について，所轄消防長又は消防署長に承認申請をする。

(3) 変更の工事が完成した部分ごとの使用について，市町村長等に承認申請をする。

(4) 変更工事にかかわる部分の全部又は一部の使用について，市町村長等に

承認申請をする。

(5) 変更工事にかかわる部分の全部又は一部の使用について，所轄消防長又は消防署長に承認申請をする。

問題5

市町村長等が行う製造所等の使用停止命令の発令理由に該当しないものは，次のうちどれか。

(1) 設置の完成検査を受けないで製造所等を使用したとき。

(2) 危険物保安監督者を定めなければならない製造所等において，これを定めていないとき。

(3) 製造所等の譲渡又は引渡しを受けて，その旨を届け出なかったとき。

(4) 危険物保安監督者に対する解任命令に応じなかったとき。

(5) 危険物の貯蔵，取扱基準の遵守命令に違反したとき。

問題6

次の免状の手続きとその申請先について，正しい組み合わせはどれか。

手続き	申請先
再交付	（A）
	（B）
書換え	（C）
	（D）
	（E）

ア．免状を交付した都道府県知事

イ．本籍地の都道府県知事

ウ．居住地の都道府県知事

エ．勤務地の都道府県知事

オ．免状を書換えた都道府県知事

カ．再交付を受けた都道府県知事

	（A）	（B）	（C）	（D）	（E）
(1)	ウ	オ	エ	ア	イ
(2)	ア	エ	オ	ウ	イ
(3)	ウ	エ	オ	カ	ア
(4)	ア	オ	ア	ウ	エ
(5)	ウ	エ	オ	ア	イ

問題 7

法令上，危険物の取扱作業の保安に関する講習について，次の（A）〜（D）に該当する語句および文を下記の語群から選ぶ場合，適切な組み合わせとして，正しいものはどれか。

「製造所等において，危険物の取扱作業に従事する危険物取扱者は，（A）に従事することとなった日から（B）以内に講習を受けなければならない。ただし，当該取扱作業に従事することとなった日前（C）以内に免状の交付を受けている場合又は講習を受けている場合は，それぞれ当該免状の交付を受けた日又は講習を受けた日以後における最初の4月1日から（D）以内に講習を受けることによって足りる。」

＜語群＞

① 6か月 ② 1年
③ 2年 ④ 3年
⑤ 危険物取扱作業 ⑥ 危険物の保安に関する業務

	A	B	C	D
(1)	⑤	①	②	②
(2)	⑥	②	④	②
(3)	⑤	③	②	④
(4)	⑥	②	④	③
(5)	⑤	②	③	④

問題 8

法令上，危険物取扱者について，次のうち誤っているものはどれか。

(1) 危険物の取扱作業に従事するときは，貯蔵又は取扱いの技術上の基準を遵守するとともに，当該危険物の保安の確保について細心の注意を払わなければならない。

(2) 甲種危険物取扱者又は乙種危険物取扱者は，危険物の取扱作業の立会をする場合は，取扱作業に従事する者が危険物の貯蔵又は取扱いの技術上の基準を遵守するように監督しなければならない。

(3) 丙種危険物取扱者は，危険物保安監督者になることができない。

(4) 危険物取扱者は，危険物取扱者試験に合格し，免状の交付を受けている
　　ものをいう。
(5) 危険物取扱者であれば，危険物取扱者以外の者による危険物の取扱作業
　　に立ち会うことができる。

問題9

危険物保安監督者について，次のうち誤っているものはどれか。

(1) 屋外タンク貯蔵所と給油取扱所は，指定数量に関係なく危険物保安監督
　　者を定めなければならない。
(2) 移動タンク貯蔵所においては，危険物保安監督者を選任する必要はない。
(3) 乙種危険物取扱者は，免状に指定された類のみの危険物保安監督者にし
　　かなれない。
(4) 危険物保安監督者を定めるのは，製造所等の所有者等である。
(5) 危険物取扱者のうち，製造所等において危険物取扱いの実務経験が6か
　　月以上なければ危険物保安監督者に選任することはできない。

問題10

　法令上，製造所等の定期点検の実施者として，次のうち適切でないも
のはどれか。ただし，規則で定める漏れに関する点検及び固定式泡消火
設備に関する点検を除く。

(1) 丙種危険物取扱者
(2) 1年前に危険物保安監督者に選任された者
(3) 危険物取扱者の免状の交付を受けていない危険物保安統括管理者
(4) 危険物取扱者の免状の交付を受けていない危険物施設保安員
(5) 危険物取扱者の立会いを受けた免状の交付を受けていない者

問題11

　法令上，次に掲げる製造所等のうち，学校，病院等の建築物等から一
定の距離（保安距離）を保たなければならない旨の規定が設けられてい
る施設は次のうちいくつあるか。

| 屋外タンク貯蔵所 | 屋内貯蔵所 | 製造所 | 給油取扱所 |
| 屋内タンク貯蔵所 | 一般取扱所 | 移送取扱所 | 第１種販売取扱所 |

(1) 3つ　　(2) 4つ　　(3) 5つ　　(4) 6つ　　(5) 7つ

問題12

　次のうち，給油取扱所に附帯する業務のための用途として，法令上，設けることができないものはいくつあるか。

　　A　自動車等に給油するために出入りする者を対象とした展示場

　　B　自動車等の点検，整備のために出入りする者を対象とした立体駐車場

　　C　自動車の洗浄のために出入りする者を対象としたコンビニエンスストア

　　D　給油取扱所の管理者が居住する住居

　　E　付近の住民が利用するための診療所

　　F　灯油又は軽油の詰め替えのために出入りする者を対象とした飲食店

(1) 1つ　　(2) 2つ　　(3) 3つ　　(4) 4つ　　(5) 5つ

問題13

　法令上，製造所等における危険物の貯蔵及び取扱いのすべてに共通する技術上の基準について，次のうち正しいものはどれか。

(1) 危険物のくず，かす等は，１週間に１回以上，当該危険物の性質に応じて安全な場所で廃棄しなければならない。

(2) 可燃性の液体，可燃性の蒸気若しくは可燃性のガスがもれ，若しくは滞留するおそれのある場所で，火花を発する機械器具，工具等を使用する場合は，換気を行わなければならない。

(3) 許可若しくは届出に係る品名以外の危険物を一時的に貯蔵し，又は取り扱う場合は，10日以内としなければならない。

(4) 危険物が残存し，又は残存しているおそれがある設備，機械器具，容器等を修理する場合は，安全な場所において，危険物を安全に除去した後に行わなければならない。

(5) 危険物を貯蔵し，又は取り扱う場合においては，当該危険物が漏れ，あふれ，又は飛散するおそれがある場合は，火災予防に細心の注意を払わな

けれればならない。

問題14

法令上，危険物を収納する運搬容器の外部に表示しなければならない事項は，次のうちいくつあるか。

ただし，容器の容量は18ℓのものとする。

A　危険物の指定数量

B　危険物の消火方法

C　容器の材質

D　危険物の品名

E　運搬容器の構造及び最大容積

(1)　1つ　　(2)　2つ　　(3)　3つ　　(4)　4つ　　(5)　5つ

問題15

法令上，製造所等に設置する消火設備の技術上の基準について，次のうち誤っているものはいくつあるか。

A　消火設備の種別は，第1種から第6種に区分されている。

B　屋外にある工作物には，第1種の消火設備のうちの屋内消火栓設備を設けること。

C　給油取扱所に第5種の消火設備（小型の消火器等）を設ける場合には，有効に消火できる位置に設けなければならない。

D　地下タンク貯蔵所には，貯蔵する危険物に関係なく，第5種の消火設備（小型の消火設備）を2個以上設けなければならない。

E　移動タンク貯蔵所に，自動車用消火器のうち消火粉末を放射する消火器を設ける場合は，充てん量が3.5kg以上のものを設けなければならない。

(1)　1つ　　(2)　2つ　　(3)　3つ　　(4)　4つ　　(5)　5つ

═══ 物 理 学 及 び 化 学 ═══

問題16

　燃焼の一般的事項について，次のA〜Eのうち，適切でないものを組み合わせたものはどれか。

　　A　固体を粉末状にすると，融点や沸点が低くなるため，燃焼しやすくなる。

　　B　粉じんの着火に必要なエネルギーは，粉じん濃度により変化する。

　　C　固体は，熱伝導率が大きいほど着火しやすい。

　　D　可燃物は，燃焼熱（発熱量）が大きいほど燃焼しやすい。

　　E　可燃性気体と酸素との混合気体の多くは，圧力が高くなると酸化反応の速度が増大するため，燃焼しやすくなる。

　(1)　AとB　　(2)　AとC　　(3)　BとD　　(4)　CとE　　(5)　DとE

問題17

自然発火について，次のうち誤っているものはどれか。

(1)　自然発火とは，他から何らかの火源を与えないで，物質が空気中において自然に発熱し，その熱が蓄積して発火温度に達し，発火を起こす現象である。

(2)　自然発火が起こるためには，蓄熱の過程が重要な役割を果たしており，発熱量や物質のたい積量などが大きな影響をもつ。

(3)　分解熱によって自然発火を起こす例として，ニトロセルロースがある。

(4)　吸着熱によって自然発火を起こす例として，鉄粉がある。

(5)　酸化熱によって自然発火を起こす例として，油脂類がある。

問題18

燃焼に関する一般的説明として，次のうち誤っているものはどれか。

(1)　燃焼の3要素とは，可燃物，酸素及び点火源をいい，このうち，どれ1つ欠けても燃焼は起こらない。

(2)　物質が酸素と化合したとき，相当の発熱があり，更に可視光線が出ていれば，その物質は燃焼しているといえる。

(3)　密閉された室内で可燃性液体が激しく燃焼した場合には，一時に多量の発熱が起こり，圧力が急激に増大して爆発を起こすことがある。

(4)　表面燃焼するのは固体だけであり，可燃性液体の燃焼は蒸発した可燃性蒸気が燃焼する蒸発燃焼である。

(5)　すべての可燃物は，空気がなければ燃焼はしない。

問題19

次の物質 1 mol を完全燃焼させた場合，必要な酸素の量が最も多いものはどれか。

(1)　アセトン　　　　　(2)　酢酸　　　　　　　(3)　エタノール

(4)　メタノール　　　　(5)　アセトアルデヒド

問題20

次の消火剤に関する説明について，誤っているものはどれか。

(1)　粉末消火剤は，アルカリ金属の炭酸塩類またはリン酸塩類等を主成分とするものであり，石油類の火災に適応する。

(2)　強化液消火剤は，炭酸カリウムの濃厚な水溶液で，霧状に放射した場合，主として負触媒（抑制）効果により消火するものであり，石油類の火災に適応する。

(3)　泡消火剤に要求される一般的性質としては，熱に対して安定で，流動性があり，燃焼物に長く粘着をしないことである。

(4)　一般的な泡消火剤は石油類の火災に適しているが，アルコール類などの水溶性の危険物に対しては，水溶性液体用泡消火剤（耐アルコール泡）を用いる必要がある。

(5)　二酸化炭素消火剤は，空気より重く，非常に安定な不燃性の気体であるため，主として窒息効果により消火するものであり，石油類の火災に適応する。

問題21

静電気に関する説明について，次のA〜Eのうち正しいものはいくつあるか。

A　摩擦によって帯電した移動しない電気である。

B　静電気は湿度が低いときに蓄積しやすい。

C　配管中を流れる流体に発生する静電気を抑えるには，管の径を大きくして，流速を小さくする。

D　可燃性液体に静電気が蓄積すると，可燃性液体の電気分解が促進される。

E　静電気は異種物体の接触やはく離によって，一方が正，他方が負の電荷を帯びるときに発生する。

(1)　1つ　　(2)　2つ　　(3)　3つ　　(4)　4つ　　(5)　5つ

問題22

二酸化炭素の生成および性状について，次のうち誤っているものはどれか。

(1)　水には少し溶けて，弱い酸性を示す。

(2)　常温常圧では無色無臭の気体であるが，－79℃で昇華して固体（ドライアイス）となる。

(3)　常温（20℃）以下では不安定で，助燃性（支燃性）を示す場合がある。

(4)　空気中で有機化合物を燃焼させると，一般的に，一酸化炭素，二酸化炭素および水等が生成する。

(5)　空気よりも重い。

問題23

混合物について，次のうち正しいものはいくつあるか。

A　2種類以上の物質が単に混ざり合ったものである。

B　各成分は混合前とは別の性質に変化している。

C　物質の混合割合により，沸点，融点などの性状が異なる。

D　気体の混合物は，必ず気体のみから成り立っているように，溶液の混合物も必ずその成分が液体のみから成り立っている。

E　蒸留やろ過などの物理的方法により，2種類以上の物質に分離することができる。

(1)　1つ　　(2)　2つ　　(3)　3つ　　(4)　4つ　　(5)　5つ

問題24

酢酸（CH_3COOH）2.0mol／ℓ とエタノール（C_2H_5OH）3.0mol／ℓ を水中で次式のように反応させた。

$$CH_3COOH + C_2H_5OH \rightleftarrows CH_3COOC_2H_5（酢酸エチル）+ H_2O$$

平衡定数を $K＝2.0\ell／mol$ とすると，平衡状態での酢酸（CH_3COOH）の濃度はおよそいくらか。

ただし，水の変化量は無視するものとし，上記の平衡定数 K は濃度平衡定数 K_C を水の濃度で除したもの（$K＝K_C／[H_2O]$）とする。

(1)　0.5mol／ℓ　　(2)　1.2mol／ℓ　　(3)　1.5mol／ℓ

(4)　1.8mol／ℓ　　(5)　2.0mol／ℓ

問題25

ヨウ素価について，次のうち誤っているものはどれか。

(1)　ヨウ素価とは，油脂100gに付加するヨウ素のグラム数で表したものである。

(2)　一般に，ヨウ素価は不乾性油で100以下，乾性油で130以上，その中間，すなわち，100〜130のものを半乾性油という。

(3)　不飽和脂肪酸が多いほど，ヨウ素価は大きくなる。

(4)　ヨウ素価が小さいほど，自然発火の危険性が大きくなる。

(5)　油脂の構成脂肪酸の二重結合の数が多いほど，ヨウ素価も大きくなる。

模擬テスト

━━危険物の性質並びにその火災予防及び消火の方法━━ 第1回

問題26

危険物の性状について，次のうち正しいものはどれか。

(1) 危険物には常温（20℃）において，気体，液体及び固体のものがある。

(2) 液体の危険物の比重は１より小さいが，固体の危険物の比重はすべて１より大きい。

(3) 同一の類の危険物に対する適応消火剤および消火方法は同じである。

(4) 保護液として，水，二硫化炭素およびメタノールを使用するものがある。

(5) 不燃性の液体または固体で，酸素を分離し他の燃焼を助けるものがある。

問題27

次のА～Ｅの危険物のうち，禁水性物質に該当しないもののみをすべて掲げているものはどれか。

    Ａ　アルキルアルミニウム　　　　　Ｄ　トリクロロシラン

    Ｂ　炭化カルシウム　　　　　　　　Ｅ　黄リン

    Ｃ　ジエチル亜鉛

(1) Ａ　　　　　　(2) Ａ，Ｂ　　　　　(3) Ｃ

(4) Ｄ，Ｅ　　　　(5) Ｅ

問題28

水素化ナトリウムの性状等について，次のうち正しいものはどれか。

(1) 毒性はほとんどない。

(2) 常温（20℃）では粘性のある液体である。

(3) 高温ではナトリウムと水素に分解する。

(4) 空気に触れないよう，灯油中で貯蔵する。

(5) 水と激しく反応して酸素を発生する。

第1回

問題29

黄リンの火災に対する消火方法として，次のうち適切でないものはどれか。

(1) 噴霧注水を行う。

(2) ハロゲン化物消火剤を放射する。

(3) 乾燥砂で覆う。

(4) 泡消火剤を放射する。

(5) 霧状の強化液を放射する。

問題30

メチルエチルケトンパーオキサイドの性状等について，次のうち誤っているものはいくつあるか。

A 水やジエチルエーテルなどによく溶ける。

B 無色透明で，特有の臭気を有する油状の液体である。

C 貯蔵する際は，容器に収納して密栓し，冷暗所に貯蔵する。

D 純品は極めて危険なので，市販品はフタル酸ジメチル等で希釈してある。

E ぼろ布，鉄さび等と接触すると著しく分解が促進されるが，熱や光などでは分解されない。

(1) 1つ (2) 2つ (3) 3つ (4) 4つ (5) 5つ

問題31

次の第5類の危険物のうち，乾燥させた状態で貯蔵，取り扱うと危険性が増すものは，いくつあるか。

過酢酸，硝酸メチル，過酸化ベンゾイル，メチルエチルケトンパーオキサイド，ピクリン酸，アジ化ナトリウム

(1) 1つ (2) 2つ (3) 3つ (4) 4つ (5) 5つ

問題32

第5類の危険物に関する貯蔵および消火の方法について，次のうち正しいものはどれか。

(1) 有機過酸化物は，水分を避けて，乾燥した状態で貯蔵する。

(2) 貯蔵する際は，すべて容器は密栓する。

(3) 金属のアジ化物は，二酸化炭素消火剤による窒息消火が最も有効である。

(4) ニトロセルロースは，アルコールか水で湿潤な状態にして，冷暗所に貯蔵する。

(5) 燃焼速度が極めて速いので，燃焼の抑制作用のあるハロゲン化物消火剤が有効である。

問題

問題33

第1類の危険物を貯蔵保管する施設の構造，設備および容器等について，危険物の性状に照らして，適切でないものは，次のA～Eのうちいくつあるか。

A　収納容器が落下した場合に衝撃が生じないよう，床に厚手のじゅうたんを敷く。

B　容器は金属，ガラスまたはプラスチック製とし，ふたが容易にはずれないように密栓する。

C　棚に転落防止策を施した容器収納庫に第2類の危険物と一緒に貯蔵する。

D　照明装置や換気装置に防爆構造でないものを設置する。

E　火災時の消火用として，二酸化炭素消火器を設置する。

(1)　1つ　　(2)　2つ　　(3)　3つ　　(4)　4つ　　(5)　5つ

問題34

塩素酸カリウムの性状について，次のうち誤っているものはどれか。

(1) 強烈な衝撃や急激な加熱によって爆発する。

(2) 少量の濃硝酸の添加によって爆発する。

(3) 水酸化カリウム水溶液の添加によって爆発する。

(4) アンモニアとの反応生成物は自然爆発することがある。

(5) 炭素粉との混合物は摩擦等の刺激によって爆発する。

第1回

問題35

　過塩素酸カリウムにかかわる火災の消火方法について，次のA～Eのうち適切なものはいくつあるか。

　　A　二酸化炭素消火剤で消火する。

　　B　噴霧状の水で消火する。

　　C　粉末消火剤（炭酸水素塩類を使用するもの）で消火する。

　　D　泡消火剤で消火する。

　　E　注水消火する。

(1)　1つ　　(2)　2つ　　(3)　3つ　　(4)　4つ　　(5)　5つ

問題36

　過酸化ナトリウムの貯蔵，取扱いに関する次のA～Dについて，正誤の組み合わせとして，正しいものはどれか。

　　A　麻袋や紙袋で貯蔵する。

　　B　分解によって発生した酸素で容器が破損しないよう，容器には空気孔を設けておく。

　　C　可燃物や強酸とは接触を避ける。

　　D　水で湿潤とした状態にして貯蔵する。

　　E　加熱する場合は，白金るつぼを用いる。

（注：表中の○は正，×は誤を表すものとする。）

	A	B	C	D	E
(1)	○	×	×	○	×
(2)	○	×	○	×	×
(3)	×	○	×	×	○
(4)	×	○	×	○	○
(5)	×	×	○	×	×

問題37

第4類の危険物の一般的な性状について，次のうち，誤っているものはいくつあるか。

A　蒸気比重は1より大きいため，可燃性蒸気は低所に滞留しやすい。

B　液体の比重は1より大きい。

C　非水溶性のものが多い。

D　いずれも引火点を有する液体又は気体で，火気等により引火しやすい。

E　流動性が高く，火災になった場合に拡大する危険性がある。

F　燃焼点が引火点より低いものがある。

(1)　1つ　　(2)　2つ　　(3)　3つ　　(4)　4つ　　(5)　5つ

問題38

自動車ガソリンの一般的性状について，次のうち正しいものはどれか。

(1)　蒸気の比重（空気＝1）は2以下である。

(2)　液体の比重は1以下である。

(3)　引火点は二硫化炭素よりは高い。

(4)　発火点は220℃である。

(5)　燃焼範囲の上限値は10vol％以上である。

問題39

酸化プロピレン（プロピレンオキシド）の性状について，次のうち誤っているものはどれか。

(1)　エーテル臭のある無色透明の液体である。

(2)　エタノール，ジエチルエーテルに可溶である。

(3)　重合しやすく，重合反応を起こすと発熱する。

(4)　蒸気は有毒である。

(5)　氷点下でも引火し，100℃で自然発火する。

第1回

問題40

第2類の危険物の性状等について，次のA〜Eのうち正しいものはいくつあるか。

- A　一般に比重は1より大きい。
- B　黄リンと同素体のものがある。
- C　いずれも可燃性である。
- D　いずれも強酸化剤である。
- E　消火するのが困難なものがある。

(1)　なし　　(2)　1つ　　(3)　2つ　　(4)　3つ　　(5)　4つ

問題41

三硫化リンの性状について，次のうち誤っているものはどれか。

(1)　黄色または淡黄色の結晶である。

(2)　冷水とは反応しないが，熱水（熱湯）とは徐々に反応して加水分解し，二酸化硫黄を発生する。

(3)　水には溶けないが，ベンゼンや二硫化炭素には溶ける。

(4)　100℃以上で発火の危険性がある。

(5)　五硫化リン，七硫化リンに比べて融点が低い。

問題42

アルミニウム粉の性状について，次のうち誤っているものはどれか。

(1)　空気中の水分と反応して，自然発火することがある。

(2)　軽く軟らかい金属で，銀白色の光沢がある。

(3)　酸化剤と混合したものは，加熱，衝撃，摩擦により発火しやすい。

(4)　酸やアルカリと反応して，酸素を発生する。

(5)　ハロゲンと接触すると反応して高温となり，発火することがある。

問題43

硝酸の貯蔵および取扱いについて，次のうち適切でないものはどれか。

(1) 還元性物質との接触を避ける。
(2) 金属を腐食させるので，ステンレス鋼製の容器などに貯蔵する。
(3) 人体に触れると薬傷を生じることがあるので，接触しないようにする。
(4) 日光や加熱などにより分解し，二酸化窒素を発生する。
(5) 安定剤として尿酸やリン酸を加えて貯蔵する。

問題44

ハロゲン間化合物の一般的性状について，次のうち誤っているものはいくつあるか。

A 2種のハロゲンが電気陰性度の差によって互いに結合している物質である。
B 多数のフッ素原子を含むものほど，反応性は逆に低くなる。
C 水とは激しく反応するので，消火の際，注水は厳禁である。
D 多くの金属とは反応するが，非金属とは反応しない。
E 強力な酸化剤であるが，自然発火の危険性はない。

(1) 1つ (2) 2つ (3) 3つ (4) 4つ (5) 5つ

問題45

過酸化水素の貯蔵，取扱いについて，次のうち不適当なものはいくつあるか。

A 安定剤として，リン酸や尿素などを用いる。
B 貯蔵するときは，弱アルカリ性にして分解を防ぐようにする。
C 漏えいしたときは，多量の水で洗い流す。
D 濃度の高いものは，常温（20℃）でも水と酸素に分解するので，密栓して冷暗所に貯蔵する。
E 濃い水溶液は皮膚を激しくおかすので保護具を着用して取り扱う。

(1) 1つ (2) 2つ (3) 3つ (4) 4つ (5) 5つ

第1回テストの解答

＝危険物に関する法令＝

問題1　解答　(1)

解説　Aの酸化性液体は酸化性固体の誤り，Jの黄リンは第3類の危険物，L の赤リンは第2類の危険物なので，それぞれ誤りです。

問題2　解答　(2)

解説　(1)　特殊引火物の指定数量は50ℓであり，第4類危険物の中で最も少な い量なので，正しい。

(2)　第1石油類の非水溶性液体の指定数量は200ℓ，アルコール類の指定数 量は400ℓなので同じではなく，誤りです。

(3)　第2石油類の水溶性液体の指定数量は2000ℓ，第3石油類の非水溶性液 体も2000ℓと同じなので，正しい。

(4)　次ページの表より，第1石油類，第2石油類及び第3石油類の指定数量 は，各量とも水溶性液体の数量が非水溶性液体の2倍となっています。

(5)　第3石油類の水溶性液体の指定数量は4000ℓ，非水溶性液体の指定数量 は2000ℓなので，両者の和は，第4石油類の指定数量と同じ6000ℓとなる ので，正しい。

<まとめ>　(⇒次ページの表参照)
品名および**性質**が同じであれば，指定数量は同一である(⇒出題例あり)。

第4類の危険物と指定数量（注：水は水溶性，非水は非水溶性）

品名	性質	主な物品名	指定数量
特殊引火物		エーテル，二硫化炭素，アセトアルデヒド，酸化プロピレンなど	50ℓ
第1石油類	非水	ガソリン，ベンゼン，トルエン，酢酸エチルなど	200ℓ
	水	アセトン，ピリジン	400ℓ
アルコール類		メタノール，エタノール	400ℓ
第2石油類	非水	灯油，軽油	1000ℓ
	水	酢酸，アクリル酸，プロピオン酸	2000ℓ
第3石油類	非水	重油，クレオソート油など	2000ℓ
	水	グリセリン，エチレングリコール	4000ℓ
第4石油類		ギヤー油，シリンダー油など	6000ℓ
動植物油類		アマニ油，ヤシ油など	10000ℓ

問題3 **解答** (2)

解説 B　予防規程を定めなければならない製造所等には，① <u>指定数量の倍数にかかわらず定めなければならない製造所等</u>と② <u>一定の指定数量以上の場合に定めなければならない製造所等</u>の2つのケースがあります。

本問は②のケースですが，その場合，指定数量の倍数は次のようになっています。

> 製造所　　　：**10倍以上**
> 屋外貯蔵所：**100倍以上**
> 屋内貯蔵所：**150倍以上**
> 屋外タンク貯蔵所：**200倍以上**

従って，100以上というのは，屋外貯蔵所のみの倍数になります。

D　予防規程の変更を命ずることができるのは，**市町村長等**です。

（B，Dの2つが誤り）

なお，予防規程に定めなければならない製造所等において，それを定めずに危険物を貯蔵し，又は取り扱った場合は処罰の対象となります。

問題4 **解答** (1)

解説 仮使用については，表現を変えて色々と出題されていますが，ポイントは，「変更工事にかかわる部分以外の部分」の「以外」と「市町村長等」です。

従って，(1)は両者ともクリアしているので，正しい。

(2)は，消防長又は消防署長が承認となっているので，誤りです。

(3)は，工事が完成した部分ではなく，工事以外の部分なので誤りです。

(4)は「以外」が抜けているので誤り，(5)も同じく「以外」が抜けており，また，市町村長等ではなく消防長又は消防署長となっているので，誤りです。

問題5 **解答** (3)

解説 市町村長等は，所有者等の次のような行為に対して**使用の停止**を命ずることができます。なお，①から⑤については，**使用の停止**のほか，**許可の取り消し**も命ずることができます。

使用停止命令の対象となる行為

① 位置，構造，設備を許可を受けずに変更したとき。

② 位置，構造，設備に対する修理，改造，移転などの命令に違反したとき（⇒従わなかったとき）。

③ 完成検査済証の交付前に製造所等を使用したとき。
または仮使用の承認を受けないで製造所等を使用したとき。

④ 保安検査を受けないとき（政令で定める屋外タンク貯蔵所と移送取扱所に対してのみ）。

⑤ 定期検査の実施，記録の作成および保存がなされていないとき。

（以上，**許可の取り消し**も対象となる行為）

⑥ 危険物の貯蔵，取扱い基準の遵守命令に違反したとき。

⑦ 危険物保安統括管理者を選任していないとき，またはその者に「保安に関する業務」を統括管理させていないとき。

⑧ 危険物保安監督者を選任していないとき，またはその者に「保安の監督」をさせていないとき。

⑨　危険物保安統括管理者または危険物保安監督者の解任命令に違反したとき（⇒従わなかったとき）。

　　以上を参照しながら，選択肢を順に確認していきます。

(1)　③に該当するので，使用停止命令の対象です。

(2)　⑧に該当するので，使用停止命令の対象です。

(3)　製造所等の譲渡又は引渡しの届出義務違反にはなりますが，許可の取消しや使用停止命令の対象とはなりません。

　　なお，その他，「**危険物保安監督者（または危険物施設保安員）を定めたが届出をしなかったとき**」「**危険物保安監督者や危険物取扱者などが免状の返納命令を受けたとき。**」「**予防規程を定めなければならない製造所等で，定めなかったとき**」なども許可の取消しや使用停止命令の対象とはならないので，注意してください。

(4)　⑨に該当するので，使用停止命令の対象です。

(5)　⑥に該当するので，使用停止命令の対象です。

問題6　　**解答**　(4)

解説　正解は次のようになります。

手続き	申請先
再交付	免状を**交付**した都道府県知事，免状を**書換えた**都道府県知事
書換え	免状を**交付**した都道府県知事，**居住地**の都道府県知事，**勤務地**の都道府県知事

　　本問は，「わかりやすい甲種危険物取扱者試験」でも出題しましたが，免状の手続きを覚えるには最適な問題なので，重複はしますが再度出題しました。なお，免状を亡失して再交付を受けた者が亡失した免状を発見した場合は，これを**10日以内**に免状の再交付を受けた都道府県知事に提出する必要があります。

問題7 解答 (5)

解説 正解は次のようになります。

「製造所等において，危険物の取扱作業に従事する危険物取扱者は，（危険物取扱作業）に従事することとなった日から（1年）以内に講習を受けなければならない。ただし，当該取扱作業に従事することとなった日前（2年）以内に免状の交付を受けている場合又は講習を受けている場合は，それぞれ当該免状の交付を受けた日又は講習を受けた日以後における最初の4月1日から（3年）以内に講習を受けることによって足りる。」

問題8 解答 (5)

解説 (1)(2) 危険物取扱者の責務であり，正しい。

(3) 危険物保安監督者になることができるのは，**甲種**または**乙種**で，製造所等において危険物取扱いの実務経験が**6か月以上**ある者であり，丙種はなれないので，正しい。

(4) 正しい。

(5) 危険物取扱者以外の者による危険物の取扱作業に立ち会うことができるのは，甲種と乙種であり，丙種は立ち会えないので，誤りです。

問題9 解答 (5)

解説 (1) 正しい。その他，**製造所，移送取扱所**も指定数量に関係なく危険物保安監督者を定めなければならない製造所等です。

こうして覚えよう！

指定数量に関係なく危険物保安監督者を定めなければならない製造所等
⇒ **屋外タンク貯蔵所，製造所，移送取扱所，給油取扱所**

監督は	外のタンクに	誠	意をこめて	給油した
	屋外タンク	製造所	移送取扱所	給油

(2)〜(4) 正しい。

(5) 危険物保安監督者に選任することができるのは，製造所等において危険物取扱いの実務経験が6か月以上ある，**甲種危険物取扱者**または**乙種危険物取扱者**であり，丙種は危険物保安監督者に選任することはできないので，誤りです。

問題10 **解答** (3)

解説 製造所等の定期点検を実施できる者は次のとおりです。

① 危険物取扱者（甲種，乙種，丙種すべて）

② 危険物施設保安員

③ 危険物取扱者の立会いを受けた者

従って，(1)の丙種危険物取扱者は，①に該当するので，○。

(2)の危険物保安監督者も，甲種または乙種危険物取扱者の中から選任されるので，①に該当し，○。

(3)の危険物取扱者の免状の交付を受けていない危険物保安統括管理者ですが，危険物取扱者の免状の交付を受けていない者で定期点検を実施できるのは，②か③の場合であり，このいずれにも該当しないので，×。

(4)の危険物施設保安員ですが，危険物取扱者の免状の交付を受けていなくても②より，定期点検を実施できるので，○。

(5)の危険物取扱者の立会いを受けた免状の交付を受けていない者は，③に該当するので，○となります。

従って，適切でないのは，(3)の危険物取扱者の免状の交付を受けていない危険物保安統括管理者ということになります。

問題11 **解答** (2)

解説 学校，病院等という具体的な保安対象物（保安距離の対象となる建築物）が示されているので戸惑うかもしれませんが，要するに，**保安距離が必要な製造所等は次のうちどれか**ということです（次ページの図参照）。

保安距離が必要な製造所等は「**製造所, 屋内貯蔵所**, 屋外貯蔵所, **屋外タンク貯蔵所, 一般取扱所**」の5つであり, このうち屋外貯蔵所以外の4つが含まれているので, (2)が正解です。

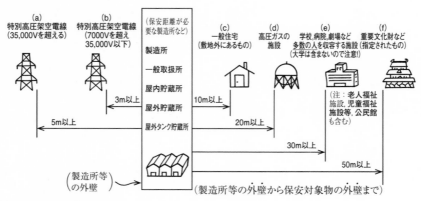

【上の図について】
（a）（b）⇒地中埋設電線は含まない。
（c）⇒敷地内のものは対象外
（e）⇒大学, 短大, 予備校, 旅館は含まない。
（f）⇒保管倉庫は含まない。

問題12 **解答** (2)

解説 給油取扱所内に設置できる建築物の用途は次のとおりです。

1 給油または灯油若しくは軽油の詰め替えのための**作業場**

2 給油取扱所の業務を行うための**事務所**

3 給油等のために給油取扱所に出入りする者を対象とした**店舗（コンビニ など）, 飲食店または展示場**

4 自動車等の点検・整備を行う**作業場**

5 自動車等の洗浄を行う**作業場**

6 給油取扱所の所有者, 管理者, 占有者などが居住する**住居**またはこれらの者に係る他の給油取扱所の業務を行うための**事務所**など（下線部⇒勤務者のものは不可なので注意！）。

以上をもとに確認すると,

A　3に該当するので，設けることができます。

B　上記の用途に該当するものはないので，設けることはできません。

C　Aに同じく，3に該当するので，設けることができます。

D　6に該当するので，設けることができます。

E　上記の用途に該当するものはないので，設けることはできません。

F　A，Cに同じく3に該当するので，設けることができます。

　　従って，給油取扱所に附帯する業務のための用途として，法令上，設けることができないものは，B，Eの2つということになります。

問題13　**解答** (4)

解説 (1)　危険物のくず，かす等は，当該危険物の性質に応じて安全な場所で廃棄しなければなりませんが，その頻度は1週間に1回以上ではなく，**1日に1回以上**です。

(2)　設問の「可燃性の液体，可燃性の蒸気若しくは可燃性のガスがもれ，若しくは滞留するおそれのある場所」では，火花を発する機械器具，工具等**を使用することはできない**ので，誤りです。

(3)　許可若しくは届出に係る品名以外の危険物を，一時的であっても貯蔵し，又は取り扱うことはできないので，誤りです。

　　なお，10日以内というのは，**仮貯蔵**の場合の期限であり，仮貯蔵は指定数量以上の危険物を製造所等以外の場所で仮に貯蔵する場合の手続きです。

(4)　正しい。なお，「危険物が残存し，又は残存しているおそれがある設備，機械器具，容器等を修理する場合は，<u>換気等に注意しながら行わなければならない。</u>」などという出題もありますが，本問のように，危険物を安全に除去した後に行わなければならないので，下線部が誤りとなります。

(5)　危険物を貯蔵し，又は取り扱う場合においては，当該危険物が漏れ，あふれ，又は飛散するおそれがある場合は，火災予防に細心の注意を払うだけではだめで，それを防ぐための必要な措置を講ずる必要があるので，誤りです。

問題14 **解答** (1)

解説 運搬容器の外部に表示しなければならない事項は，次のとおりです。

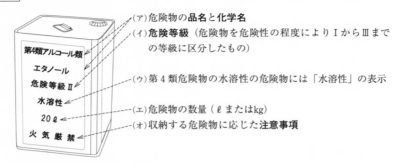

(ア)危険物の**品名**と**化学名**
(イ)**危険等級**（危険物を危険性の程度によりⅠからⅢまでの等級に区分したもの）
(ウ)第4類危険物の水溶性の危険物には「**水溶性**」の表示
(エ)危険物の数量（ℓ または kg）
(オ)収納する危険物に応じた**注意事項**

以上より，それぞれを確認すると，

A　危険物の指定数量は，該当事項がないので，表示する必要はありません。

B　危険物の消火方法も該当事項がないので，表示する必要はありません。

C　容器の材質も該当事項がないので，表示する必要はありません。

D　危険物の品名は（ア）に該当するので，表示する必要があります。

E　運搬容器の構造及び最大容積についても該当事項がないので，表示する必要はありません。

　　従って，運搬容器の外部に表示しなければならない事項は，Dの1つのみとなります。

問題15 **解答** (2)

解説 A　消火設備の種別は，第1種から**第5種**に区分されています。

B　屋外にある工作物に対しては，第1種の消火設備のうちの**屋外消火栓設備**を設ける必要があるので，誤りです。

C　第5種の消火設備を製造所等に設置する場合，① 歩行距離が20m以下に設置する必要がある施設と② 有効に消火できる位置に設ければよい施設の2通りがあり，②の施設には，「地下タンク貯蔵所，**給油取扱所**，販売取扱所，簡易タンク貯蔵所，移動タンク貯蔵所（覚え方⇒地球破壊）」があります。従って，給油取扱所は歩行距離20m以下ではなく，有効に消

<u>火できる位置に設ければよい施設になります。</u>（A，Bの2つが誤り。）

══ 物 理 学 及 び 化 学 ══

問題16　**解答**　(2)

解説　A　誤り。固体を粉末状にすると燃焼しやすくなるのは，**空気との接触面積が大きくなるから**です。

C　誤り。固体は，熱伝導率が**小さい**ほど熱が逃げにくくなるので，着火しやくなります。

なお，燃焼については，その定義，「**燃焼は熱と光の発生を伴う急激な酸化反応である。**」と，燃焼には燃焼時に炎を発する有炎燃焼と炎を発さない**無炎燃焼**（線香やタバコの燃焼など）があり，無炎燃焼も燃焼になるので，注意が必要です（最初は無炎燃焼であっても，酸素の供給により有炎燃焼に移行することがあります）。

問題17　**解答**　(4)

解説　鉄粉が自然発火を起こす原因は，使い捨てカイロが発熱するように，鉄粉が空気と接触することによる**酸化熱**の蓄積によるので，誤りです。

なお，吸着熱によって自然発火を起こす例として，木炭の粉末や活性炭のように多孔質なものがあります。

問題18　**解答**　(5)

解説　可燃物が燃焼する場合，一般的には空気が酸素供給源となりますが，第5類のように，その物質が含有する**酸素**により燃焼するものもあります。

問題19　**解答**　(1)

解説　問題の物質は，すべて有機化合物の**炭化水素**です。つまり，**炭素**と**水素**

からなる有機化合物であり，燃焼すると，**水**と**二酸化炭素**になります。

つまり，H_2O と CO_2 になるので，H は 2 個で 1 個の酸素原子ということ

は，1 個では $\frac{1}{2}$ 個の酸素原子と，C は 1 個で 2 個の酸素原子と結合します。

ただし，自身に酸素原子を含む場合は，燃焼の際にそれが消費されるので，差し引く必要があります。したがって，H, C, O をそれぞれの原子数とすると，酸素原子の消費量は $\left(\frac{H}{2} + 2C - O\right)$ となります。

これを念頭において順に確認すると，

(1) アセトン ・・・・・・CH_3COCH_3

　　H が 6 個，C が 3 個，O が 1 個なので，$\left(\frac{H}{2} + 2C - O\right)$ =

　　$3 + 6 - 1 = 8$ ・・・・・・**8個**の酸素原子が必要となります。

(2) 酢酸 ・・・・・・CH_3COOH

　　H が 4 個，C が 2 個，O が 2 個なので，$\left(\frac{H}{2} + 2C - O\right)$ =

　　$2 + 4 - 2 = 4$ ・・・・・・**4個**の酸素原子が必要となります。

(3) エタノール ・・・・・・C_2H_5OH

　　H が 6 個，C が 2 個，O が 1 個なので，$\left(\frac{H}{2} + 2C - O\right)$ =

　　$3 + 4 - 1 = 6$ ・・・・・・**6個**の酸素原子が必要となります。

(4) メタノール ・・・・・・CH_3OH

　　H が 4 個，C が 1 個，O が 1 個なので，$\left(\frac{H}{2} + 2C - O\right)$ =

　　$2 + 2 - 1 = 3$ ・・・・・・**3個**の酸素原子が必要となります。

(5) アセトアルデヒド ・・・・・・CH_3CHO

　　H が 4 個，C が 2 個，O が 1 個なので，$\left(\frac{H}{2} + 2C - O\right)$ =

　　$2 + 4 - 1 = 5$ ・・・・・・**5個**の酸素原子が必要となります。

　　従って，(1)のアセトンの「8個の酸素原子が必要」というのが最も多いので，これが正解となります。

解答

問題20　解答　(3)

解説 泡消火剤は燃焼物に付着して，その窒息効果によって消火するもので，粘着性がなければ泡がつぶれ，窒息効果が得られなくなります。

　なお，泡に要求される一般的性質は，「熱に対して安定」「流動性がある」「粘着性があること」のほか，「加水分解しないこと」「油類より比重が小さいこと」などがあります。

問題21　解答　(4)

解説 A　正しい。静電気は，摩擦によって帯電した電気（電荷）がほとんど移動しない電気現象で，**摩擦電気**とも呼ばれています。

B　正しい。湿度が低いということは，空気中の水分が少ないということであり，静電気が発生しても"逃げ場所"であるその水分が少ないので，蓄積しやすくなります。

C　配管中を流れる流体に発生する静電気を抑えるには，管の径を**大きく**して流速を**小さく**すればよいので，正しい。

D　可燃性液体に静電気が蓄積したからといって，可燃性液体の電気分解が促進されることはないので，誤りです。

E　正しい。静電気は異なる2つの物体が，接触または離れる際に，一方が正，他方が負の電荷を帯びることによって発生します。

　従って，正しいのは，A，B，C，Eの4つということになります。

問題22　解答　(3)

解説 (1)　二酸化炭素は水に少し溶け（溶けたものを炭酸水という），**弱酸性**を示すので，正しい。

(2)　常温常圧では**無色無臭**の気体ですが，$-79℃$で昇華，つまり，気体から直接固体（ドライアイス）になるので，正しい。

(3)　二酸化炭素は，非常に安定した**不燃性**の気体で，酸素を供給するという助燃性（支燃性）の性質はないので，誤りです。

(4) 一般的に，空気中で有機化合物を完全燃焼させると，**二酸化炭素**（酸素が不十分な状態では**一酸化炭素**）と**水**が生成するので，正しい。

(5) 二酸化炭素の比重は，1.53と空気よりも**重い**ので，正しい。

問題23 **解答** (3)

解説 A，B　２種類以上の物質が，**物理的**に単に混ざり合ったものであり，化学変化はしておらず，各成分は混合前の性質を保っているので，Aは正しく，Bが誤りです。

C　混合物は，混ざり合っている物質の割合が異なると，**沸点**や**融点**などが異なるので，正しい。

D　溶液の混合物ですが，たとえば，食塩水は液体の水と固体の塩化ナトリウムからなっており，液体と固体の混合物も存在するので，「液体のみから成り立っている」というのは，誤りです。

E　基本的に，混合物は**蒸留**（成分物質の沸点の違いを利用して混合物を分離，精製する方法）や**ろ過**などの物理的方法により，もとの成分を分離することができるので，正しい。

従って，正しいのは，A，C，Eの３つということになります。

問題24 **解答** (1)

解説 まず，平衡定数についてですが，たとえば，窒素と水素が反応してアンモニウムが生成する反応式は，次のようになります。

$$N_2 + 3H_2 \rightleftharpoons 2NH_3$$

今，正反応，逆反応のそれぞれの速度を v_1，v_2，比例定数を k_1，k_2とすると，反応速度はモル濃度（[ ]で表す）の積に比例するので，

$$v_1 = k_1[N_2][H_2]^3 \qquad v_2 = k_2[NH_3]^2$$と表されます。

化学平衡では，両者の速度が等しいので，$v_1 = v_2$より，

$$k_1[N_2][H_2]^3 = k_2[NH_3]^2$$となります。

各物質のmol濃度を左辺に，比例定数を右辺にまとめると，

$$\frac{[NH_3]^2}{[N_2][H_2]^3} = \frac{k_1}{k_2} = K \quad となり，この K を平衡定数といいます。$$

さて，本問の反応式に戻ると，酢酸とエタノールは同じモル数が反応するのですが，本問では，酢酸**2.0**mol／ℓにエタノール**3.0**mol／ℓを反応させているので，両者はすべて反応するわけではありません。

いま，反応した mol 数（＝生成した酢酸エチルの mol 数）を x mol とすると，反応後の酢酸は，（2 − x）mol，エタノールは（3 − x）mol となります。

また，生成した $CH_3COOC_2H_5$（酢酸エチル）は x mol となります（⇒酢酸とエタノールが同じモル数反応して同じ mol 数の酢酸エチルが生成する）。

これを表にすると，次のようになります。

	CH_3COOH	C_2H_5OH	$CH_3COOC_2H_5$
反応前	2 mol	3 mol	0 mol
反応後	（2 − x）mol	（3 − x）mol	x mol

ここで，平衡定数の式に戻ると，

$$\frac{[NH_3]^2}{[N_2][H_2]^3} \quad の式に本問の物質を入れると，$$

$$Kc（濃度平衡定数）= \frac{[CH_3COOC_2H_5][H_2O]}{[CH_3COOH][C_2H_5OH]}$$

となるのですが，問題の条件より，平衡定数 K ＝ 2 mol／ℓは濃度平衡定数 Kc を水の濃度で除したもの（$K = Kc／[H_2O]$）とするので，

$$K = \frac{[CH_3COOC_2H_5]}{[CH_3COOH][C_2H_5OH]} = 2 \quad （ℓ／mol）となります。$$

これに，先ほどの反応後の各物質の mol 数を代入すると，

$$K = \frac{x}{(2-x)(3-x)} = 2 \quad （ℓ／mol）$$

$$= \frac{x}{6 - 5x + x_2} = 2 \quad （ℓ／mol）$$

$$12 - 10x + 2x^2 = x$$

$$2x^2 - 11x + 12 = 0$$

これを2次方程式の解の公式で解くと,

$$x = \frac{11 \pm \sqrt{11^2 - 4 \times 2 \times 12}}{4}$$

〈公式〉

$$\left(\begin{array}{l} ax_2 + bx + c = 0 \\ \Rightarrow x = \frac{-b \pm \sqrt{b^2 - 4ac}}{2a} \end{array} \right)$$

$$= \frac{11 \pm \sqrt{25}}{4} = \frac{11 \pm 5}{4}$$

$$= 4 \text{ または } 1.5 \text{ (mol／ℓ)}$$

（2－x）あるいは,（3－x）mol より, x が4だと, 反応後の物質がマイナスになり, x が1.5だとプラスになるので, 解は1.5となります。

従って, 平衡状態での酢酸（CH_3COOH）の濃度は, 元の2.0mol からこの1.5mol を除いた分となるので, 2－1.5＝0.5mol／ℓ となります。

問題25 **解答** (4)

解説 (3) 正しい。不飽和脂肪酸が多いということは,「炭素＝炭素」の二重結合が多いということであり, それだけ多くのヨウ素を付加することができるので, (1)の説明より, ヨウ素価は大きくなります。

この部分を少し補足しておこう。
二重結合があるということは, まだその分, 他との結合能力を残しているので, 飽和していない, つまり, 不飽和化合物という言い方をするんじゃ。
従って, 不飽和脂肪酸が多い⇒二重結合が多い⇒付加することができるヨウ素の数が多い⇒ヨウ素価が大きい, となるんじゃ。

(4) 誤り。自然発火の危険性は, 付加しているヨウ素の数が多いほど大きくなるので, ヨウ素価が**大きい**ほど大きくなります。

(5) (3)の解説より, 正しい。

危険物の性質並びにその火災予防及び消火の方法

問題26　解答　(5)

解説 (1)　気体の危険物というのはありません。

(2)　たとえば，液体の危険物である第6類の危険物の比重は1より**大きく**，また，固体の危険物であるカリウムやナトリウムなどのように，比重が1より**小さい**固体もあるので，誤りです。

(3)　たとえば，第4類の危険物でも，一般の泡消火剤が適応するものがあれば，アルコール類のように，水溶性液体用泡消火剤を使用しなければならないものもあるので，誤りです。

(4)　一般に，保護液中に保存する必要があるのは第3類の危険物に多いですが，黄リンのように，水を保護液として用いるものはありますが，二硫化炭素を使用するものはないので，誤りです（メタノールは第5類のニトロセルロースの保護液に用いられる場合がある）。

(5)　「不燃性の液体または固体で，酸素を分解し他の燃焼を助けるもの」とは，第1類や第6類の酸化性物質のことであり，第1類が**酸化性固体**，第6類が**酸化性液体**となります。

問題27　解答　(5)

解説 第3類に属する主な物質は，次のようになります。

品　名	主な物質名（品名と物質名が同じものは省略）
① カリウム	
② ナトリウム	
③ アルキルアルミニウム	
④ アルキルリチウム	
⑤ 黄リン	
⑥ アルカリ金属（カリウム，ナトリウム除く）および**アルカリ土類金属**	リチウム カルシウム バリウム

⑦	有機金属化合物（アルキルアルミニウム，アルキルリチウム除く）	ジエチル亜鉛
⑧	金属の水素化物	水素化ナトリウム 水素化リチウム
⑨	**金属のリン化物**	リン化カルシウム
⑩	**カルシウム**または アルミニウムの**炭化物**	炭化カルシウム 炭化アルミニウム
⑪	その他のもので政令で定めるもの	トリクロロシラン
⑫	前各号に掲げるもののいずれかを含有するもの	

　　このうち，禁水性物質に該当しないもの，すなわち，自然発火性のみの物質は⑤の黄リンのみになります。

[類題]　**法令上，第3類の危険物の品名に該当しないものはどれか。**

(1)　アルミニウムの炭化物　　(2)　金属の水素化物

(3)　アルキルリチウム　　(4)　カルシウムの炭化物

(5)　金属のアジ化物

解説─────────────────────────────

　　金属のアジ化物は，第5類の危険物です。　　　　　　　　　　解答(5)

問題28　**解答**　(3)

解説(1)　水素化ナトリウムは有毒なので，誤りです。

(2)　水素化ナトリウムは液体ではなく，**灰色の結晶性粉末**なので，誤りです。

(3)　水素化ナトリウム（NaH）は，高温では**ナトリウム**と**水素**に分解するので，正しい。

(4)　水素化ナトリウムは灯油中ではなく，空気に触れないよう，**窒素を封入した容器等**で貯蔵するので，誤りです。（なお，鉱油中では安定しています。）

(5)　水素化ナトリウムは，**水**と激しく反応しますが，その際発生するのは，酸素ではなく**水素**です。

問題29　**解答**　(2)

解説黄リンは融点が44℃と低く，燃焼時に流動することがあるので，**噴霧注**

水や泡消火剤などで消火するとともに，土砂を用いて流動を防ぎます。

　その他，粉末消火剤や乾燥砂なども有効ですが，ハロゲン化物消火剤は適応しないので，(2)が誤りです。

問題30　**解答**　(3)

解説　A　ジエチルエーテルには溶けますが，水には溶けないので，誤りです。
　B　正しい。なお，メチルエチルケトンパーオキサイドは別名，エチルメチルケトンパーオキサイドともいい，第5類の危険物です。
　C　メチルエチルケトンパーオキサイドを貯蔵する際は，冷暗所に貯蔵するのは正しいですが，内圧の上昇を防ぐため，容器のフタには通気性を持たせる必要があるので，密栓というのは誤りです。
　D　正しい。メチルエチルケトンパーオキサイドの純品は極めて危険であり，市販品はフタル酸ジメチルなどの可塑剤（材料に柔軟性を与えたり加工をしやすくするために添加する物質のこと）等で50～60%に希釈してあります。なお，フタル酸ジメチルは別名，ジメチルフタレートともいいます（ジメチルフタレートの名称で出題される可能性もあるので，要注意！）。
　E　メチルエチルケトンパーオキサイドは，ぼろ布や鉄さび等との接触のほか，熱や光などでも分解されるので，誤りです。
　　従って，誤っているのは，A，C，Eの3つとなります。

問題31　**解答**　(2)

解説　乾燥させた状態で貯蔵，取り扱うと危険性が増すのは，過酸化ベンゾイルとピクリン酸の2つです。

問題32　**解答**　(4)

解説　(1)　有機過酸化物は，分子中に酸素・酸素結合（－O－O－）を有する化合物のことで，過酸化ベンゾイルやメチルエチルケトンパーオキサイドなどがあります。その有機過酸化物ですが，特に乾燥状態を避けて貯蔵する

必要性があるのは，**過酸化ベンゾイル**だけなので，誤りです。

(2) ほとんどの第5類危険物は密栓して貯蔵しますが，**メチルエチルケトンパーオキサイド**を密栓して貯蔵すると，内圧が上昇して分解が促進されるので，「すべて」の部分が誤りです。

(3) 第5類の危険物は，自身に**酸素**を含有しているので，二酸化炭素消火剤による窒息消火は不適当であり，金属のアジ化物の場合は，**乾燥砂**などを用いて消火します。

(4) 正しい。ニトロセルロースは，加熱，衝撃および日光などにより分解されるので，保護液として**アルコール**や**水**などを用い，湿潤な状態にして，冷暗所に貯蔵します。

(5) 第5類の危険物は，燃焼速度がきわめて速く，消火が非常に困難な物質であり，一般的には，**水系の消火剤**（注水や泡消火剤など）を用いて消火をしますが，ハロゲン化物消火剤は有効ではないので，誤りです。

問題33 　解答 　(3)

解説 A　じゅうたんは**可燃物**であり，第1類の危険物はこれら**可燃物**等と接触すると，加熱，衝撃，摩擦等により爆発する危険性があるので，不適切。

B　正しい。

C　第2類の危険物は**可燃性固体**であり，Aの解説より，第1類危険物と一緒に貯蔵すると，加熱，衝撃，摩擦等により爆発する危険性があり，不適切。

D　防爆構造の適用範囲は次のようになっています（危険物審査指針より）。

① 引火点が40℃以下の危険物を貯蔵し，又は取り扱う場合

② 引火点が40℃を超える危険物であっても，その可燃性液体を当該引火点以上の状態で貯蔵し，又は取り扱う場合

③ 可燃性微粉が滞留するおそれのある場合

従って，第1類危険物は，引火性物質ではなく，また，③のように可燃性でもないので，防爆構造である必要性はなく，正しい。

E　第1類危険物は，物質自体に**酸素**を含有しており，二酸化炭素消火器によって窒息消火をしても燃焼時に**酸素**を供給するので，不適切。

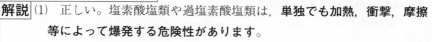

テストの解答

従って，不適切なものは，A，C，Eの3つとなります。

問題34　**解答**　(3)

解説 (1) 正しい。塩素酸塩類や過塩素酸塩類は，**単独でも加熱，衝撃，摩擦等によって爆発する危険性**があります。

(2) 正しい。塩素酸塩類は，少量の濃硝酸などの強酸の添加によって爆発する危険性があります。

(3) 誤り。塩素酸塩類は，(2)のように強酸の添加によって爆発する危険性がありますが，水酸化カリウムなどの強アルカリを添加しても爆発する危険性はありません。

(4), (5) 正しい。

問題35　**解答**　(3)

解説 まず，第1類の危険物に共通する消火方法は，**大量の水**で冷却して分解温度以下にする方法があります（ただし，アルカリ金属の過酸化物等を除く）。
従って，Bの**噴霧状の水**とEの**注水消火**が該当します。また，火災が初期のうちは，水系の消火剤であるDの**泡消火剤**も適応しますが，酸素を含有する第1類にAの二酸化炭素やハロゲン化物は適応せず，また，Cの**炭酸水素塩類を使用する粉末消火剤はアルカリ金属等の過酸化物以外の第1類危険物**には適応しないので（適応するのは**リン酸塩類**の方），結局，B，D，Eの3つが適切なものということになります。

問題36　**解答**　(5)

解説 過酸化ナトリウムの貯蔵，取扱いについては，「1類に共通する貯蔵，取扱い方法＋水との接触を避ける。」なので，まずは，1類に共通する貯蔵，取扱い方法を思い出します。

> [1類に共通する貯蔵, 取扱い方法]
>
> 1. **加熱**(または**火気**), **衝撃**および**摩擦**などを避ける。
>
> 2. 酸化されやすい物質および強酸との接触を避ける。
>
> 3. **アルカリ金属の過酸化物**(またはこれを含有するもの)は, 水との接触を避ける。(重要)
>
> 4. **密栓**して**冷所**に貯蔵する。
>
> 5. **潮解**しやすいものは, **湿気**に注意する。

これをもとに, 順に確認すると,

A　麻袋や紙袋で貯蔵するというのは, 第2類の**硫黄**を貯蔵する際の貯蔵法なので, 誤りです。

B　容器に空気孔を設ける必要があるのは, 第5類の**メチルエチルケトンパーオキサイド**と第6類の**過酸化水素**のみなので, 誤りです。

C　上記の2より, 正しい。

D　上記の3より, 過酸化ナトリウムのようなアルカリ金属の過酸化物は, 水と反応して爆発する危険性があるので, **水との接触を避ける**必要があり, 誤りです。

E　溶融した過酸化ナトリウムは白金を侵すので, **ニッケル**または**銀**のるつぼを用います。よって, 誤りです。

　　従って, Aは×, Bも×, Cは○, Dは×, Eも×となるので, (5)が正解となります。

問題37　**解答**　(3)

解説 A　正しい。第4類危険物の蒸気比重は**1より大きく**, 可燃性蒸気は**低所に滞留**しやすいので, 通風, 換気を十分に行い, 発生した蒸気は屋外の**高所**に放出します。

B　第4類危険物でも, **二硫化炭素**や**グリセリン**などのように, 液体の比重が1より大きいものもありますが, ほとんどのものは1より**小さい**ので, 誤りです。

解答

C **アルコール**や**酢酸**のように水溶性のものもありますが，ほとんどのもの
は非水溶性（水に溶けない。）なので，正しい。

D 第4類危険物は**引火性液体**であり，いずれも引火点を有していますが，
液体のみであり気体は含まれないので，誤りです。

F 燃焼点とは，引火後5秒間燃焼が継続する最低の温度をいい，一般的に
引火点より数℃高い温度となっているので，誤りです。

従って，誤っているのは，B，D，Fの3つということになります。

問題38　　**解答**　(2)

解説 (1) ガソリンの蒸気の比重は **3〜4** であり，2以下というのは，誤りです。

(2) ガソリンの液体比重は**0.65〜0.75**であり，1以下なので，正しい。

(3) ガソリンの引火点は**−40℃以下**であり，二硫化炭素の引火点（−30℃以
下）より低いので，誤りです。

(4) 220℃というのは，灯油や軽油の発火点であり，ガソリンの発火点は約
300℃なので，誤りです。

(5) ガソリンの燃焼範囲は，**1.4〜7.6vol％**であり，「上限値は10vol％以上」
というのは，誤りです。

こうして覚えよう！

ガソリンの物性値

ガソリンさんは　　始終　　石になろうとしていた

　　　30(0)　　 40　　1.4〜7.6

　　（発火点）（引火点）（燃焼範囲）

問題39　　**解答**　(5)

解説 (1) 酸化プロピレンはエーテル臭のある無色透明の液体であり，正しい。

(2) 酸化プロピレンは，**水**のほか**エタノール**や**ジエチルエーテル**にもよく溶けるので，正しい。

(3) 正しい。なお，重合とは，低分子量の化合物が発熱を伴って多数結合し，分子量の大きな化合物を生じる反応のことをいいます。

(4) 正しい。

(5) 酸化プロピレンの引火点は**-37℃**なので，氷点下でも引火しますが，発火点は**449℃**なので，100℃で自然発火することはなく，誤りです。

問題40 **解答** (5)

解説 A 第2類の危険物の比重は，一般に**1より大きい**ので，正しい。

B 第2類の**赤リン**は，第3類の黄リンとは同素体なので，正しい。

C 第2類危険物は，**可燃性固体**であり，正しい。

D 強酸化剤に該当するのは**第1類**や**第6類**の危険物であり，第2類危険物に酸化性の性状はないので，誤りです。

E たとえば，アルミニウム粉などの金属粉は，粉じんが飛散する危険性があり，また，消火後に再発火する危険性もあるので，正しい。

従って，正しいのは，A，B，C，Eの4つということになります。

問題41 **解答** (2)

解説 (1) 硫化リンは，**黄色**または**淡黄色の結晶**であり，正しい。

(2) 三硫化リンは，冷水とは反応せず熱水（熱湯）と反応しますが，その際発生するのは，二酸化硫黄ではなく，**硫化水素**です。

この硫化リンについては，水（または熱水）と接触した場合に発生する有毒ガスと燃焼時に発生する有毒ガスでは異なるので，注意が必要です。

○ 水（または熱水）と接触した場合に発生する有毒ガス⇒	**硫化水素**
○ 燃焼時に発生する有毒ガス⇒	**二酸化硫黄**（亜硫酸ガス）

(3) 水には溶けませんが，**ベンゼン**や**二硫化炭素**には溶けるので，正しい。

(4) 三硫化リンの発火点は**100℃**なので，正しい。

(5) 三硫化リンの融点は**172.5℃**，五硫化リンの融点は**290.2℃**，七硫化リンの融点は**310℃**なので，三硫化リンが最も低く，正しい。

問題42　解答　(4)

解説 (1) アルミニウム粉などの**金属粉**や**マグネシウム**に共通する性状です。

(3) 第2類の危険物を**酸化剤**と混合すると，加熱，衝撃，摩擦等により発火，爆発しやすくなるので，正しい。

(4) アルミニウム粉などの金属粉やマグネシウムなどは，酸と反応して酸素ではなく**水素**を発生するので，誤りです。

(5) 金属粉を**水分**や**ハロゲン**と接触させると，反応して高温となり，発火することがあるので，正しい。

問題43　解答　(5)

解説 (1) 硝酸は第6類の酸化性物質であり，**還元性物質**（他の物質から酸素を奪う性質のあるもの）や**可燃物**と接触すると，発火する危険性があるので，正しい。

(5) 安定剤として**尿酸**や**リン酸**を加えて貯蔵する必要があるのは，**過酸化水素**なので，誤りです。

問題44　解答　(3)

解説 A　正しい。

B　多数のフッ素原子を含むものほど反応性も大きくなるので，誤りです。

（注：第3類の**アルキルアルミニウム**が炭素数やハロゲン数が多いほど，水や空気との反応性が低くなるのと対称的なので，チェックしておこう！）

C　正しい。従って，火災時に水系の消火剤は不適切です。

D　ハロゲン間化合物は，**金属**のみならず，**非金属**とも反応（酸化）して**フッ化物**を作るので，誤りです。

E　可燃物や有機物と接触させると，自然発火を起こすことがあるので，誤

りです。

　従って，誤っているのは，B，D，Eの3つとなります。

問題45　**解答**　(3)

解説　A　誤り。過酸化水素は，有毒で非常に反応しやすい物質なので，**リン酸や尿酸**などを安定剤として用いますが，尿素は尿酸とはまた別の物質なので誤りです。

B　過酸化水素（弱酸性水溶液）をアルカリ性にすると，分解しやすくなるので，誤りです。

C　正しい。過酸化水素は**水溶性液体**であり，漏えいしたときは，多量の水で洗い流します（薄めることによって，危険性を低減する）。

D　「濃度の高いもの（約50％以上）は，常温（20℃）でも水と酸素に分解する」というのは正しいですが，密栓ではなく，**通気のための孔を設けた容器**を用いる必要があるので，誤りです（⇒分解によって発生した酸素により容器が破損しないように）。

E　正しい。

　従って，不適当なものは，A，B，Dの3つということになります。

第2回

甲種危険物取扱者

模 擬 テ ス ト

第 2 回

═══危 険 物 に 関 す る 法 令═══

問題 1

法令上，製造所等の区分について，次のうち正しいものはどれか。

(1) 屋内にあるタンクにおいて危険物を貯蔵し，または取り扱う施設を屋内貯蔵所という。

(2) 鉄道および車両に固定されたタンクにおいて危険物を貯蔵し，または取り扱う貯蔵所を移動タンク貯蔵所という。

(3) 自動車等の燃料タンクに直接給油するため地下に埋設されたタンクにおいて危険物を貯蔵し，または取り扱う施設を地下タンク貯蔵所という。

(4) ボイラー等で重油等を燃焼する施設を製造所という。

(5) 店舗において容器入りのままで販売するため，指定数量の15倍以下の危険物を取り扱う施設を第 1 種販売取扱所という。

問題 2

法令上，耐火構造の隔壁で完全に区分された 3 室を有する同一の屋内貯蔵所において，次に示す危険物をそれぞれの室に貯蔵する場合，この屋内貯蔵所は指定数量の何倍の危険物を貯蔵していることになるか。

　　　硫化リン………………1,000kg

　　　二硫化炭素……………100ℓ

　　　ナトリウム……………200kg

(1) 12　　　(2) 22　　　(3) 30　　　(4) 32　　　(5) 38

問題 3

法令上，製造所等において予防規程に定めなければならない事項に該当しないものは，次のうちいくつあるか。

　　A　工事における火気の使用若しくは取扱いの管理又は危険物の管理等安全管理に関すること。

　　B　地震発生時における施設及び設備に対する点検，応急措置等に関する

こと。

C　危険物施設の火災による損害調査に係る隣接事業所との応援協力に関
　すること。

D　化学消防自動車の設置その他自衛の消防組織に関すること。

E　製造所等の位置，構造及び設備を明示した書類及び図面の整備に関す
　ること。

F　危険物保安監督者が旅行，疾病その他の事故によって，その職務を行
　うことができない場合にその職務を代行する者に関すること。

(1)　なし　　(2)　1つ　　(3)　2つ　　(4)　3つ　　(5)　4つ

問題 4

**法令上，市町村長等にあらかじめ届出をしなければならないものは，
次のうちどれか。**

(1)　製造所等の譲渡又は引渡しを受けた場合

(2)　製造所等の用途を廃止したとき。

(3)　製造所等の危険物保安監督者を定めなければならない場合において，危
　険物保安監督者を定める場合。

(4)　製造所等の位置，構造又は設備を変更するとき，完成検査を受ける前に
　変更工事以外の部分を使用する場合。

(5)　製造所等の位置，構造又は設備を変更しないで，製造所等で貯蔵し，ま
　たは取り扱う危険物の品名又は指定数量の倍数を変更しようとする場合。

問題 5

**法令上，市町村長等から製造所等の所有者等に対し，許可の取り消し
を命ぜられる場合として，次のうち誤っているものはどれか。**

(1)　定期点検を行わなければならない製造所等において，定期に点検を行わ
　なかったとき。

(2)　製造所等の設備について，技術上の基準に適合するよう修理又は改造す
　べき命令に従わなかったとき。

(3)　製造所等の変更の許可を受けないで，当該製造所等の構造を変更したとき。

(4)　製造所等の変更した部分の完成検査を受けないで，当該製造所等を使用したとき。

(5)　危険物保安監督者を定めなければならない製造所等において，その者が取り扱うことができる危険物の取扱作業に関して，保安の監督をさせていないとき。

問題6

法令上，危険物取扱者に関する記述について，次のうち正しいものはどれか。

(1)　丙種危険物取扱者は，製造所等において危険物取扱者以外の者の危険物取扱いに立ち会うことはできないが，定期点検に立ち会うことができる。

(2)　危険物保安監督者に選任された者は，すべての類の危険物を取り扱うことができる。

(3)　乙種第4類の免状を有する危険物取扱者が立ち会えば，製造所等において危険物取扱者以外の者が，他の類の危険物を取り扱うことができる。

(4)　製造所等において，危険物取扱者以外の者が危険物を取り扱う場合には，指定数量未満の危険物であれば危険物取扱者の立会いがなくても危険物を取り扱うことができる。

(5)　甲種危険物取扱者を危険物保安監督者に選任する場合，危険物取扱いの実務経験は必要ない。

問題7

法令上，危険物の取扱作業の保安に関する講習（以下「講習」という。）に関する記述として，次のうち正しいものはどれか。

(1)　甲種危険物取扱者は，製造所等において危険物の取扱作業に従事しているか否かにかかわらず，講習を受けなければならない。

(2)　丙種危険物取扱者は，製造所等において危険物の取扱作業に従事しているか否かにかかわらず，講習を受けなければならない。

(3)　すべての危険物施設保安員は，受講しなければならない。

(4)　すべての危険物保安監督者は，受講しなければならない。

(5) 危険物取扱者は，5年に1回，受講しなければならない。

問題8

法令上，危険物施設保安員について，次のうち正しいものはどれか。

(1) 危険物施設保安員は，甲種又は乙種危険物取扱者の中から選任しなければならない。

(2) 危険物施設保安員は，危険物保安監督者が旅行，疾病その他事故によってその職務を行うことができない場合にその職務を代行しなければならない。

(3) 製造所等の所有者等は，危険物施設保安員を定めたときは，遅滞なくその旨を市町村長等に届け出なければならない。

(4) 「予防規程等の保安に関する規定に適合するように作業者に対して必要な指示を与えること」は危険物施設保安員の業務には含まれない。

(5) 指定数量の倍数が100の屋外タンク貯蔵所には，危険物施設保安員を定めなければならない。

問題9

法令上，製造所等の定期点検について，次のうち正しいものはどれか。ただし，規則で定める漏れの点検を除く。

(1) 定期点検記録を作成し，これを保存する義務を負う者は，政令で定める製造所等の危険物取扱者である。

(2) 丙種危険物取扱者は，定期点検を行うことができない。

(3) 地下タンク貯蔵所と移動タンク貯蔵所は，その規模等にかかわらず，定期点検を実施する必要がある。

(4) 点検結果を管轄する消防本部に報告した年月日は，点検記録に記載しなければならない事項である。

(5) 危険物施設保安員が立ち会った場合は，だれでも定期点検を行うことができる。

第2回

問題10

　法令上，製造所等において，危険物を貯蔵し，又は取り扱う建築物等の周囲に保有しなければならない空地（以下「保有空地」という。）について，次のうち正しいものはどれか。

(1) 学校，病院，高圧ガス施設等から一定の距離（保安距離）を保たなくてはならない危険物施設は，保有空地を設けなくてもよい。

(2) 貯蔵し，又は取り扱う指定数量の品名に応じて保有空地の幅が定められている。

(3) 保有空地を設けなければならない建築物等の外周には，当該建築物を火災から守るための消火設備を設けなければならない。

(4) 屋内タンク貯蔵所と給油取扱所には，保有空地を必要としない。

(5) 製造所と屋外タンク貯蔵所の保有空地の幅は同じである。

問題11

　法令上，製造所等の位置，構造及び設備の基準として，次の組み合わせのうち誤っているものはどれか。

(1) 地下タンク貯蔵所………地下貯蔵タンクの頂部から地盤面までは，0.6 m以上あること。

(2) 屋外タンク貯蔵所………屋外貯蔵タンクの周囲に設ける防油堤は，その高さを0.5 m以上とすること。

(3) 給油取扱所………………固定給油設備の給油ホースの長さは10 m以下とすること。

(4) 移動タンク貯蔵所………移動貯蔵タンクは厚さ3.2 mm以上の鋼板で気密に造ること。

(5) 屋内貯蔵所………………貯蔵倉庫は，地盤面からの軒高（地盤面から軒までの高さ）を6 m未満の平家建とし，かつ，その床を地盤面以上に設けること。

問題12

危険物の取扱いの技術上の基準にかかわる次の文について，（　）内に当てはまる法令で定めている温度はどれか。

「移動貯蔵タンクから危険物を貯蔵し，又は取り扱うタンクに引火点が（　）の危険物を注入するときは，移動タンク貯蔵所の原動機を停止させること。」

(1)　30℃未満　　　(2)　40℃未満　　　(3)　50℃未満

(4)　75℃未満　　　(5)　80℃未満

問題13

移動タンク貯蔵所による自動車ガソリンの移送及び取扱いについて，法令基準に適合しているものは，次のA～Fのうちいくつあるか。

A　危険物を移送する者は，当該移送が規則で定める運転時間を超えて長時間にわたる恐れがある移送であるときは，2人以上の運転員でしなければならない。

B　移動貯蔵タンクから他の貯蔵タンクに注入するときは，原動機を停止している。

C　移送するために乗車している危険物取扱者の免状を，事務所で保管している。

D　運転者は危険物取扱者ではないが，乙種危険物取扱者（第4類）が免状を携帯し，移送のため同乗している。

E　移送する運転者は丙種危険物取扱者で，免状を携帯している。

F　アルキルアルミニウムを移送する場合は，移送の経路その他必要な事項を記載した書面を消防機関に送付しなければならない。

(1)　1つ　　(2)　2つ　　(3)　3つ　　(4)　4つ　　(5)　5つ

問題14

法令上，危険物を車両で運搬する場合について，次のうち正しいものはどれか。

(1)　指定数量以上の第1類の危険物と第6類の危険物は混載することができない。

(2) 運搬容器の材質については，不燃性のものだけが認められている。

(3) 指定数量未満の危険物を運搬する場合は，運搬に関する基準は適用されない。

(4) 指定数量以上の危険物を運搬する場合は，運搬する車両に「危」の標識を掲げなければならない。

(5) 指定数量以上の危険物を運搬する場合は，そのつど市町村長等に届け出なければならない。

問題15

法令上，製造所等に設置する消火設備の区分について，次のうち誤っているものはどれか。

(1) 水バケツは，第5種の消火設備である。

(2) 屋外消火栓設備は，第1種の消火設備である。

(3) 粉末消火設備は，第4種の消火設備である。

(4) スプリンクラー設備は，第2種の消火設備である。

(5) 泡消火設備は，第3種の消火設備である。

＝物理学及び化学＝

問題16

燃焼について，次のうち誤っているものはどれか。

(1) 高引火点の可燃性液体でも布等にしみ込ませると容易に着火する。

(2) 燃焼に必要な酸素供給体は空気であり，物質中に含まれている酸素では燃焼しない。

(3) 可燃物は，空気中で燃焼すると，より安定な酸化物に変わる。

(4) 一般に，液体および固体の可燃物は，燃焼による発熱により加熱されて蒸発または分解し気体となって燃える。

(5) 有機物の燃焼は，酸素の供給が不足すると一酸化炭素を発生し，不完全燃焼となる。

問題17

次のA〜Eの物質のうち，常温（20℃），常圧の空気中で燃焼するものはいくつあるか。

　　A　一酸化炭素

　　B　硫化水素

　　C　三酸化硫黄

　　D　ヘリウム

　　E　五硫化リン

(1)　1つ　　(2)　2つ　　(3)　3つ　　(4)　4つ　　(5)　5つ

問題18

消火剤とその消火効果について，次のうち誤っているものはいくつあるか。

　　A　窒素ガス消火剤の消火効果は，酸素濃度を一定の濃度以下に低下させる窒息効果である。

　　B　水の消火効果は，主に蒸気になる際に熱を奪う冷却効果であり，発生した水蒸気による窒素効果もある。

　　C　泡消火剤の消火効果は，主に燃焼の連鎖反応を抑制する抑制効果（負触媒）である。

　　D　粉末消火剤は，無機化合物を粉末状にしたもので，燃焼を化学的に抑制する効果や窒息効果がある。

　　E　二酸化炭素消火剤は，不燃性の気体で窒息効果があり，気体自体に毒性はないので狭い空間でも安心して使用できる。

(1)　1つ　　(2)　2つ　　(3)　3つ　　(4)　4つ　　(5)　5つ

問題19

静電気について，次のうち誤っているものはいくつあるか。

　　A　静電気が発生すると，物質の温度が上昇する。

　　B　静電気は，電気の不良導体どうしを摩擦した際の自由電子の移動に関する現象である。

C　可燃性の蒸気，または可燃性の粉じんがあるところで静電気が放電しても，着火の危険性はない。

D　静電気が物体に蓄積されている帯電状態だけでは火災にならない。

E　静電気は，種々の物質だけでなく，人体にも帯電する。

(1)　1つ　　(2)　2つ　　(3)　3つ　　(4)　4つ　　(5)　5つ

問題20

酸素の性状について，次のうち誤っているものはどれか。

(1)　常温常圧では，無色，無味，無臭の気体で，水には溶けにくい。

(2)　単体では酸素分子（O_2）あるいはオゾン（O_3）として存在する。

(3)　きわめて活性な元素で，希ガス元素とも反応する。

(4)　常温では，いくら加圧しても液体にならない。

(5)　酸素自体は不燃性だが，燃焼を促進する支燃性の働きをする。

問題21

次の物質の組み合わせのうち，互いに異性体であるものはいくつあるか。

A　メタノールとエタノール

B　n－ブタンとイソブタン

C　水素と重水素

D　黄リンと赤リン

E　エタノールとジメチルエーテル

(1)　1つ　　(2)　2つ　　(3)　3つ　　(4)　4つ　　(5)　5つ

問題22

塩化ナトリウムが溶けている水溶液が100mℓある。この水溶液のモル濃度が0.5mol／ℓである場合，溶けている塩化ナトリウムの質量として，次のうち正しいものはどれか。ただし，NaClの分子量を58.5gとする。

(1)　0.2925g　　　(2)　2.925g　　　(3)　5.85g

(4)　29.25g　　　(5)　58.5g

問題23

次の化学反応式において，下線部分の物質が酸化剤として作用しているものは，いくつあるか。

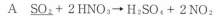

A $\underline{SO_2} + 2\,HNO_3 \rightarrow H_2SO_4 + 2\,NO_2$

B $Zn + \underline{H_2SO_4} \rightarrow ZnSO_4 + H_2$

C $\underline{H_2O_2} + 2\,KI + H_2SO_4 \rightarrow 2\,H_2O + I_2 + K_2SO_4$

D $\underline{Cu} + 4\,HNO_3 \rightarrow Cu(NO_3)_2 + 2\,NO_2 + 2\,H_2O$

E $\underline{MnO_2} + 4\,HCl \rightarrow MnCl_2 + 2\,H_2O + Cl_2$

(1) 1つ　　(2) 2つ　　(3) 3つ　　(4) 4つ　　(5) 5つ

問題24

地中に埋設された危険物配管を電気化学的な腐食から防ぐのに異種金属を接続する方法がある。配管が鋼製の場合，次のうち，防食効果のある金属はいくつあるか。

A 亜鉛

B すず

C アルミニウム

D マグネシウム

E 鉛

(1) 1つ　　(2) 2つ　　(3) 3つ　　(4) 4つ　　(5) 5つ

問題25

官能基とそれに基づく有機化合物との組み合わせで，次のうち誤っているものはどれか。

(1) $-OH$　　　　　　アルコール

(2) $-NO_2$　　　　　　ニトロ化合物

(3) $>CO$　　　　　　ケトン

(4) $-NH_2$　　　　　　フェノール類

(5) $-COOH$　　　　　カルボン酸

第2回

===危険物の性質並びにその火災予防及び消火の方法===

問題26

危険物の類ごとの性状について，次のうち正しいものはどれか。

(1) 第1類の危険物は，不燃性で一般的に無色または黄色の液体である。

(2) 第2類の危険物は，不燃性の固体である。

(3) 第4類の危険物は，一般的に水より重く，分子内に酸素を含有する物質である。

(4) 第5類の危険物は，不燃性で一般的に燃焼速度が遅く，衝撃，摩擦等では発火しない。

(5) 第6類の危険物は，腐食性がある。

問題27

次の第5類危険物のうち，常温（20℃）で液状のものはいくつあるか。

　　A　アジ化ナトリウム

　　B　過酢酸

　　C　エチルメチルケトンパーオキサイド

　　D　ニトロセルロース

　　E　硫酸ヒドラジン

(1)　1つ　　(2)　2つ　　(3)　3つ　　(4)　4つ　　(5)　5つ

問題28

硝酸エチルの性状について，次のうち誤っているものはどれか。

(1) 悪臭のする赤褐色の液体である。

(2) 比重は1より大きい。

(3) メタノールに溶ける。

(4) 引火点は常温（20℃）より低い。

(5) 蒸気は空気より重い。

問題

問題29

過酸化ベンゾイルの貯蔵，取扱いについて，次のうち誤っているものはどれか。

(1) 容器は密栓して貯蔵する。

(2) 火気や加熱を避け，乾燥状態にして取り扱う。

(3) 衝撃に対し敏感で爆発しやすいため，振動や衝撃を与えないようにする。

(4) 強酸や有機物と接触しないようにして貯蔵する。

(5) 日光により分解が促進されるため，直射日光を避けて貯蔵し，取り扱う。

問題30

五フッ化臭素の性状について，次のうち誤っているものはどれか。

(1) 常温（20℃）では，無色の液体である。

(2) 沸点が低く，蒸発しやすい。

(3) 反応性に富み，ほとんどの金属および多くの非金属元素と反応して，フッ化物を生じる。

(4) 水とは反応しない。

(5) 融点が低い。

問題31

過酸化水素の性状等について，次のうち誤っているものはどれか。

(1) 水に溶けやすく，アルコールやジエチルエーテルにも溶ける。

(2) 過酸化水素の40～50％の水溶液をオキシドールという。

(3) 純粋なものは無色の粘性のある液体である。

(4) 不安定で分解しやすいので，種々の安定剤が加えられる。

(5) 強力な酸化剤であるが，還元剤として使用されることもある。

第2回

問題32

過塩素酸の性状について，次のうち誤っているものはいくつあるか。

- A 不燃性物質であり，加熱しても爆発することはない。
- B 空気と接触すると，激しく発煙する。
- C 無水物は鉄や銅，亜鉛等と激しく反応して酸化物を生じる。
- D 赤褐色で刺激臭のある液体である。
- E 有機物などと混合すると急激な酸化反応により，火災や爆発の危険がある。

(1) 1つ　　(2) 2つ　　(3) 3つ　　(4) 4つ　　(5) 5つ

問題33

第1類の危険物に共通する性状について，次のうち正しいものはいくつあるか。

- A 比重が1より大きい物質である。
- B 引火性の物質である。
- C 酸素を含有している物質である。
- D 一般的に，水によく溶けやすい物質である。
- E 自然発火性の物質である。

(1) 1つ　　(2) 2つ　　(3) 3つ　　(4) 4つ　　(5) 5つ

問題34

重クロム酸アンモニウムの性状について，次のうち誤っているものはどれか。

(1) オレンジ系の結晶である。
(2) 強力な酸化剤である。
(3) 加熱すると，融解せずに分解をはじめる。
(4) 水にもエタノールにも溶けない。
(5) 有機物や可燃物と混合すると，加熱，衝撃および摩擦により爆発する。

問題35

　過酸化ナトリウムの貯蔵または取扱いについて，次のA～Eのうち誤っているものはいくつあるか。

　　A　異物が混入しないようにする。

　　B　乾燥状態で保管する。

　　C　安定剤として，少量の硫黄を加えて保管する。

　　D　ガス抜き口を設けた容器に貯蔵する。

　　E　加熱，衝撃，摩擦等を与えないようにする。

(1)　1つ　　(2)　2つ　　(3)　3つ　　(4)　4つ　　(5)　5つ

問題36

　塩素酸ナトリウムの性状等について，次のうち誤っているものはどれか。

(1)　水と反応して水素と塩酸を発生する。

(2)　用途としては酸化剤，漂白剤などがある。

(3)　無色または白色の結晶である。

(4)　潮解性があり，木や紙などにしみ込んだものが乾燥すると，衝撃，摩擦等により爆発する危険性がある。

(5)　水やアルコールにも溶ける。

問題37

　引火性液体を取り扱う場合，静電気に起因する火災等の事故防止対策として，次のうち適切でないものはどれか。

(1)　人体への帯電を防ぐため，絶縁性の大きい靴を使用する。

(2)　帯電した電荷が十分に減衰するための静置時間を確保する。

(3)　加湿器等を用いて室内の湿度を高くする。

(4)　引火性液体の流速を制限して静電気の発生を抑制する。

(5)　除電器の使用などにより積極的に除電を行う。

第2回

問題38

　ベンゼンやトルエンの火災に使用する消火器として，次のうち適切でないものはどれか。

- (1)　二酸化炭素を放射する消火器
- (2)　霧状の強化液を放射する消火器
- (3)　棒状の強化液を放射する消火器
- (4)　泡を放射する消火器
- (5)　消火粉末を放射する消火器

問題39

特殊引火物について，次のうち誤っているものはどれか。

- (1)　二硫化炭素の発火点は第4類危険物の中でも最も低く，100℃以下である。
- (2)　ジエチルエーテルには特有の臭気があり，その蒸気には麻酔性がある。
- (3)　二硫化炭素は，無臭の液体で水に溶けやすく，かつ水より軽い。
- (4)　アセトアルデヒドは，沸点が低く非常に揮発しやすい。
- (5)　酸化プロピレンは，重合反応を起こし大量の熱を発生する。

問題40

　ジエチルエーテルは，空気と長く接触し，日光にさらされたりすると，加熱，衝撃または摩擦により爆発することがあるが，その理由として，次のうち正しいものはどれか。

- (1)　引火点が低下するから。
- (2)　液温が上昇して発火点に達するから。
- (3)　爆発性の過酸化物が生じるから。
- (4)　酸素と水素を発生するから。
- (5)　燃焼範囲が広くなるから。

問題41

　第2類の危険物の性状について，次のA～Eのうち誤っているものはいくつあるか。

A　酸化剤と接触すると危険である。

B　酸に溶けて水素を発生するものがある。

C　粉じん爆発を起こすことはない。

D　40℃未満で引火するものがある。

E　燃焼したときに有害な硫化水素を発生するものがある。

(1)　1つ　　(2)　2つ　　(3)　3つ　　(4)　4つ　　(5)　5つ

問題42

鉄粉の一般的性状について，次のうち誤っているものはいくつあるか。

A　鉄粉のたい積物は，空気を含んでいるので熱伝導率が小さい。

B　鉄粉のたい積物は，単位重量当たりの表面積が大きいので，酸化されやすい。

C　水分を含む鉄粉のたい積物は，酸化熱が内部に蓄積するので発火する危険性がある。

D　乾燥した鉄粉は，小さな炎で容易に引火し，白い炎をあげて燃える。

E　浮遊状態の鉄粉は，火源があると粉塵爆発を起こすことがある。

F　塩化ナトリウムと混合したものは，加熱，衝撃で爆発することがある。

(1)　1つ　　(2)　2つ　　(3)　3つ　　(4)　4つ　　(5)　5つ

問題43

硫黄の性状について，次のうち正しいものはどれか。

(1)　水に溶けやすい。

(2)　燃焼すると，有毒な硫化水素を発生する。

(3)　水より軽い。

(4)　二硫化炭素に溶けやすい。

(5)　空気中において，約100℃で発火する。

第2回

問題44

第3類の危険物の性状等について，次のうち誤っているものはどれか。

(1) 常温（20℃）において，固体及び液体がある。

(2) 自然発火性と禁水性の両方の性質を有する。

(3) 水中で貯蔵するものがある。

(4) 空気と接触すると発火するものがある。

(5) 水と激しく反応し，発熱して水素を発生するものがある。

問題45

リチウムの性状等について，次のうち誤っているものはいくつあるか。

A 深紅色または深赤色の炎を出して燃える。

B 水とはほとんど反応しない。

C ハロゲンとは激しく反応する。

D カリウムやナトリウムより比重が大きい。

E 空気に触れると直ちに発火する。

(1) 1つ (2) 2つ (3) 3つ (4) 4つ (5) 5つ

第2回テストの解答

解答

══危 険 物 に 関 す る 法 令══

問題 1 **解答** (5)

解説 (1) 屋内貯蔵所は，屋内にあるタンクではなく，「屋内の場所において
危険物を貯蔵し，又は取り扱う貯蔵所」のことをいいます。

(2) 移動タンク貯蔵所は，「鉄道の車両」ではなく，単に「車両に固定され
たタンクにおいて危険物を貯蔵し，または取り扱う貯蔵所」をいいます。

(3) 問題文の施設は，地下タンク貯蔵所ではなく**給油取扱所**の説明です。

(4) ボイラー等で重油等を燃焼する施設は，製造所ではなく**一般取扱所**です。

(5) 販売取扱所は，第1種が指定数量の**15倍以下**，第2種が**15倍を超え40倍
以下**の危険物を取扱う取扱所をいうので，正しい。

問題 2 **解答** (4)

解説 まず，巻末資料2（p292）に掲げてある主な危険物の指定数量のうち太
字で示してある指定数量程度は暗記しておく必要があるでしょう（第2類の
可燃性固体や第5類の自己反応性物質についても過去に出題例があります）。

さて，硫化リン（第2類危険物）の指定数量は，その巻末の表より**100kg**，
二硫化炭素（第4類危険物）は特殊引火物なので**50ℓ**，ナトリウム（第3類
危険物）は**10kg**となるので，それぞれの貯蔵量をそれぞれの指定数量で割
ると，

硫化リン………………1,000kg÷100kg = **10**

二硫化炭素…………100ℓ÷50ℓ = **2**

ナトリウム…………200kg÷10kg = **20**

従って，指定数量の和は，10＋2＋20＝**32** となります。

問題 3　**解答**　(2)

解説　予防規程に定めなければならない事項は，巻末資料 1（p291）にあるとおりで，それを参照しながら確認すると，Cの「危険物施設の火災による損害調査に係る隣接事業所との応援協力に関すること。」のみが含まれていないので，正解は(2)の 1 つ，ということになります。

問題 4　**解答**　(5)

解説　製造所等の主な届出をまとめると，次のようになります。

	届出が必要な場合	提出期限	届出先
1	危険物の品名，数量または指定数量の倍数を変更する時	変更しようとする日の10日前まで	市町村長等
2	製造所等の譲渡または引き渡し	遅滞なく	〃
3	製造所等を廃止する時	〃	〃
4	危険物保安統括管理者を選任，解任する時	〃	〃
5	危険物保安監督者を選任，解任する時	〃	〃

(1)　製造所等を譲り受ける場合は上記表の 2 に該当するので，10日前ではなく，**遅滞なく**届け出る必要があります。

(2)　廃止したときも，(1)と同じく，**遅滞なく**届け出ます。

(3)　上記表の 5 より，危険物保安監督者を選任又は解任する場合は，**遅滞なく**届け出る必要があります。

(4)　これは**仮使用**に関する手続きで，市町村長等の**承認**を得て，「製造所等の位置，構造又は設備を変更する場合，変更工事に係る部分以外の部分を完成検査を受ける前において使用すること」なので，届出ではありません。

(5)　危険物の品名，数量又は指定数量を変更する場合は上記表の 1 に該当するので，**10日前までに届け出る**必要があり，これが正解となります。

　　なお，この問題は，「あらかじめ届出をしなければならないものはどれか」として出題されていますが「次の行為を行う**10日前までに**，その旨を市町村長等に届け出なければならないものはどれか。」という問題文で出題さ

れても答えは同じです。

解答

問題5　**解答**（5）

解説　市町村長等から製造所等の所有者等に対し，許可の取り消し（または使用停止命令）を命ぜられるのは，次の場合です。

① 位置，構造，設備を**許可を受けずに変更**したとき。

② 位置，構造，設備に対する修理，改造，移転などの**命令に違反**したとき（⇒従わなかったとき）。

③ 完成検査済証の**交付前**に製造所等を**使用**したとき。または仮使用の承認を受けないで製造所等を使用したとき。

④ 保安検査を受けないとき（政令で定める屋外タンク貯蔵所と移送取扱所に対してのみ）。

⑤ 定期点検の**実施**，**記録の作成**，および**保存**がなされていないとき。

これらを参照しながら選択肢を順に確認すると，

(1)は⑤に該当，(2)は②に該当，(3)は①に該当，(4)は③に該当。したがって，(1)〜(4)は許可の取り消しを命ずることができます。

(5) 許可の取り消しではなく，使用の停止を命ずることができる事由に該当するので（p 38，第1回―問題5の解説の⑧参照），これが正解です。

問題6　**解答**（1）

解説（1）丙種危険物取扱者は，製造所等において危険物取扱者以外の者の危険物取扱いに立ち会うことはできませんが，**定期点検には立ち会え**ます。

(2) 危険物保安監督者になることができるのは，**甲種または乙種**で，製造所等において危険物取扱いの実務経験が**6か月以上**ある者であり，甲種の場合は，すべての類の危険物を取り扱うことができますが，乙種の場合は，**免状に指定された類の危険物**しか取り扱うことができないので，誤りです。

(3) (2)でも説明しましたが，乙種第4類の免状を有する危険物取扱者が立ち会うことができるのは，免状に指定された**第4類の危険物のみ**なので，誤りです。

(4) 製造所等においては，指定数量未満の危険物であっても，危険物取扱者以外の者が危険物を取り扱う場合は，危険物取扱者の立ち会いが必要です（注：製造所等**以外**の場所では，危険物取扱者の立会いがなくても，指定数量未満の危険物を市町村条例に基づき取り扱うことができます。⇒家庭における灯油の取扱いなど）。

(5) (2)の解説より，甲種危険物取扱者であっても製造所等において危険物取扱いの実務経験が**6か月以上**必要なので，誤りです。

問題7　　**解答**　(4)

解説 (1)(2)　誤り。甲種，乙種，丙種にかかわらず，危険物取扱者が講習を受けなければならないのは，製造所等において危険物の取扱作業に従事していることが条件です。

(3)　誤り。危険物取扱者の資格を有さない危険物施設保安員の場合は，受講する必要はありません。

(4)　正しい。危険物保安監督者は，6ヶ月以上の実務経験のある甲種または乙種危険物取扱者なので，「危険物取扱作業」と「危険物取扱者」という両方の条件を満たしており，受講しなければなりません。

(5)　誤り。P40，問題7の解説より，誤りです。

問題8　　**解答**　(4)

解説 (1)　危険物施設保安員には，特に資格は必要とされていないので，誤りです。

(2)　予防規程に定める事項に，「危険物保安監督者が旅行，疾病その他事故によってその職務を行うことができない場合にその職務を<u>代行する者</u>に関すること。」というのがありますが，危険物施設保安員がその代行する者と指定されているわけではないので，誤りです。

(3)　危険物施設保安員を定めたときや解任したときに届け出は必要とされていないので，誤りです。

(4)　問題の業務は**危険物保安監督者**の業務であり，危険物施設保安員は**製造**

所等の構造及び設備に係る保安のための業務を行います。

(5) 危険物施設保安員を定めなければならないのは，**移送取扱所**と**指定数量の倍数が100以上の製造所**と**一般取扱所**なので，誤りです。

問題9　　解答　(3)

解説 (1) 定期点検記録を作成し，これを保存する義務を負う者は，政令で定める製造所等の**所有者等**です。

(2) 危険物取扱者であれば，丙種危険物取扱者であっても定期点検を行うことができるので，誤りです。

(3) **地下タンク貯蔵所**と**移動タンク貯蔵所**は，その規模等にかかわらず，定期点検を実施しなければならないので，正しい。

(4) 点検結果を報告する義務はありません。なお，点検記録に記載すべき事項は次のとおりです。

- ・**製造所等の名称**　　　・**点検の方法及び結果**
- ・**点検年月日**　　　　　・**点検を行った者または立会った者の氏名**

(5) 危険物施設保安員は定期点検を実施することはできますが，立ち会うことはできないので，誤りです。（立ち会えるのは危険物取扱者のみ）

　なお，「定期点検は，製造所等の位置，構造及び設備が技術上の基準に適合しているかどうかについて所有者等が行う定期的な点検である。」という，基本的な事項も重要ポイントなので，覚えておこう！

問題10　　解答　(4)

解説 (1) 保有空地を設けなければならない危険物施設は，保安距離を保たなくてはならない危険物施設に**簡易タンク貯蔵所**と**移送取扱所**を加えたものです。つまり，保安距離を保たなくてはならない危険物施設と保有空地を設けなければならない危険物施設は"重なる"ので，**保安距離を保たなくてはならない危険物施設には保有空地も設ける必要があり**，誤りです。

(2) 貯蔵し，又は取り扱う「指定数量の品名」ではなく，「指定数量の倍数」に応じて保有空地の幅が定められているので，誤りです。

製造所など

保安距離

保有空地

(3) 保有空地には，物品を置くことができないので，誤りです。

(4) 保有空地を設けなければならない危険物施設は，「**製造所，屋内貯蔵所，屋外貯蔵所，屋外タンク貯蔵所，一般取扱所，簡易タンク貯蔵所（屋外に設けるもの）移送取扱所（地上設置のもの）**」の7つであり，屋内タンク貯蔵所と給油取扱所はこの中に含まれていないので，正しい。

　なお，**簡易タンク貯蔵所と移送取扱所**以外は保安距離を保たなくてはならない危険物施設です。

(5) 保有空地の幅は，(2)にもあるとおり，貯蔵し，又は取り扱う危険物の**指定数量の倍数**に応じて異なるので，誤りです。

　なお，保有空地の幅はあくまでこの倍数によって決まるのであり，「専有面積」によって決まるのではないので，注意してください。（出題例あり）

問題11　**解答**　(3)

解説 (1)(2)　正しい。なお，屋外タンク貯蔵所の敷地内距離は，タンクの側板から**敷地境界線**または**隣接建築物の外壁等**までの距離なので，注意！

(3)　固定給油設備の給油ホースの長さは**5m以下**とする必要があります（先端に蓄積される静電気を有効に除去できる装置を設ける必要があります）。

(4)　正しい。移動タンク貯蔵所に限らず，製造所等におけるタンク施設においては，厚さを**3.2mm以上**の鋼板で気密に造る必要があります。

　なお，タンクの外面は，さび止め塗装をし，液体の危険物を貯蔵する場合は，その量を自動的に表示する装置を設ける必要があります。

(5)　正しい。なお，屋内貯蔵所における貯蔵倉庫の建築面積は，**1,000m²以下**とする必要があります。

問題12　**解答**　(2)

解説 移動貯蔵タンクから危険物を貯蔵し，又は取り扱うタンクに引火点が**40℃未満**の危険物を注入する場合は，移動タンク貯蔵所のエンジンを停止さ

第2回

解答

せる必要があります。これは，エンジンの点火火花による引火爆発を防ぐための措置です。

　なお，移動タンク貯蔵所については，この40℃に関して，次のような基準もあるので，ついでに覚えておくとよいでしょう。

① 　移動貯蔵タンクから危険物を注入する際は，注入ホースを注入口に緊結すること。ただし，引火点が**40℃以上**の危険物を指定数量未満のタンクに注入する際は，この限りでない（＝緊結しなくてもよい）。

② 　タンクから液体の危険物を容器に詰め替えないこと。
　ただし，引火点が**40℃以上**の第4類危険物の場合は詰め替えができる。この場合，
　（ア）先端部に手動開閉装置が付いた注入ノズルを用い
　（イ）安全な注油速度
　で行うこと。

問題13　**解答** (5)

解説 A　長距離移送（連続4時間超か1日9時間超の運転）の場合は，原則として2名以上の運転要員を確保する必要があるので，正しい。

B　移動貯蔵タンクから他の貯蔵タンクに，引火点が**40℃未満**の危険物を注入する場合は，移動タンク貯蔵所の原動機（エンジン）を停止させる必要があるので，正しい（⇒ガソリンの引火点は－40℃以下であり，「引火点が40℃未満の危険物」に該当するため）。

C　移送するために乗車している危険物取扱者の免状は，**携帯する**必要があるので，誤りです。

D　移送する際は，**移送する危険物を取り扱うことができる危険物取扱者が同乗**すればよく，それは必ずしも運転者である必要もないので，正しい。

E　丙種危険物取扱者はガソリンを取り扱うことができるので，正しい。

F　**アルキルアルミニウム**等を移送する場合は，移送の経路その他必要な事項を記載した書面を関係消防機関（市町村長等ではない！）に送付する必要があります（重要！）。

　　従って，自動車ガソリンの移送及び取扱いについて，法令基準に適合しているものは，A，B，D，E，Fの5つということになります。

問題14　**解答**　(4)

解説(1)　同一車両において，混載，つまり，類の異なる危険物を積載，運搬することが可能な組み合わせは，次のとおりです。

　　　＜混載できる組み合わせ＞

1類－6類

2類－5類，4類

3類－4類

4類－3類，2類，5類

こうして覚えよう！

混載できる組み合わせ

1－6	
2－5,	4
3－4	
4－3,	2, 5

左の部分は1から4と順に増加

右の部分は6，5，4，3と下がり，2と4を逆に張り付け，そして最後に5を右隅に付け足せばよい。

注）混載の一方の危険物が指定数量の$\frac{1}{10}$なら左記以外の組み合わせでも混載が可能です。なお，高圧ガスの場合，内容積が**120 ℓ以上**の場合は混載が禁止されているので，注意が必要です。

従って，1類と6類は混載が可能なので，誤りです。

なお，「類を異にする危険物の混載は，一切禁止されている。」という出題もたまにあるので，参考まで（もちろん，誤りです）。

(2)　運搬容器の材質については，政令第28条に，**「運搬容器の材質は，鋼板，アルミニウム板，ブリキ板，ガラスその他総務省令で定めるもの**であること。」とあり，その総務省令で定めるものについては，規則第41条に，**「金属板，紙，プラスチック，ファイバー板，ゴム類，合成繊維，麻，木又は陶磁器とする。」**と定められています。

従って，紙，プラスチックやゴム類など，可燃性のものも含まれているので，誤りです。

(3)　指定数量未満の危険物であっても運搬に関する基準が適用されます。

(4)　正しい。

なお，指定数量以上の危険物を運搬する場合は，そのほかにも，「危険物に適応した消火設備を設けること。」という基準もあります。

(5)　このような規定はないので，誤りです。

問題15　解答　(3)

解説｜消火設備には第1種から第5種まで，次のような種類があります。

種別	消火設備の種類	消火設備の内容
第1種	屋内**消火栓**設備 屋外**消火栓**設備	
第2種	**スプリンクラー**設備	
第3種	固定式消火設備	水蒸気**消火設備** 水噴霧**消火設備** 泡**消火設備** 不活性ガス**消火設備** ハロゲン化物**消火設備** 粉末**消火設備**
第4種	**大型**消火器	（第4種，第5種共通）　右の（　）内は第5種の場合 水（棒状，霧状）を放射する大型（小型）消火器 強化液（棒状，霧状）を放射する大型（小型）消火器 泡を放射する大型（小型）消火器 二酸化炭素を放射する大型（小型）消火器 ハロゲン化物を放射する大型（小型）消火器
第5種	**小型**消火器 水バケツ, 水槽, 乾燥砂など	消火粉末を放射する大型（小型）消火器

第1種消火設備　　第2種消火設備　　第3種消火設備　　第4種消火設備　第5種消火設備

屋内消火栓設備　　スプリンクラー設備　　水噴霧消火設備　　　大型消火器　　小型消火器

　この表をもとに，順に確認すると，

(1)　水バケツは，**第5種**の消火設備なので，正しい。

(2)　屋外消火栓設備は，**第1種**の消火設備なので，正しい。

(3)　粉末消火設備は，第4種ではなく**第3種**の消火設備なので，誤りです。

(4)　スプリンクラー設備は，**第2種**の消火設備なので，正しい。

(5)　泡消火設備は，**第3種**の消火設備なので，正しい。

物 理 学 及 び 化 学

解答

問題16 **解答** (2)

解説 (1) たとえば，重油は引火点が60〜150℃と引火点が高い危険物で，通常の状態では引火しにくい危険物ですが，布等にしみ込ませたり霧状にすると空気と接触する面積が増えるので，容易に着火するようになります。

(2) 燃焼に必要な酸素を供給するのは空気だけではなく，第5類危険物のように，物質自身に含有している酸素も供給体となるので，誤りです。

(3) 正しい。

(4) 一般に，液体および固体の可燃物は，燃焼による蒸発または分解によって，気体の二酸化炭素と水蒸気（水）となって燃えるので，正しい。

(5) 有機物が完全燃焼すると，二酸化炭素（と水）を発生しますが，酸素の供給が不足すると一酸化炭素を発生し，不完全燃焼となるので，正しい。

問題17 **解答** (3)

解説 燃焼するものに○，不燃性のものに×を付けると，次のようになります。

A 一酸化炭素○（酸素と化合，つまり，燃えて**二酸化炭素**となる。）

B 硫化水素○（硫化水素は H_2S であり，H_2S が燃えると水と二酸化硫黄，つまり，**亜硫酸ガス SO_2** が生じる。）

C 三酸化硫黄×（硫黄酸化物であり，水と激しく反応して硫酸となるが，自身は不燃性である）

D ヘリウム×（ヘリウムは大変安定した気体で，他の元素と化合も反応もしないので，燃焼することもない。）

E 五硫化リン○（第2類の危険物で，酸化剤と接触などして発火する危険性がある。）

従って，燃焼するものは3つとなります。

問題18 **解答** (2)

解説 A　正しい。窒素ガス消火剤は，二酸化炭素消火剤と同じく，不活性ガス消火剤と呼ばれるもので，酸素濃度を一定の濃度以下に低下させる**窒息効果**により消火します。

B　正しい。水の主な消火効果は，蒸発して蒸気になるときに蒸発熱を奪うことによる冷却効果であり，また，発生した水蒸気による窒息効果（空気中の酸素と可燃性ガスを希釈することによる）もあります。

　　なお，水に**炭酸カリウム**を添加すると**強化液消火剤**になり，**界面活性剤**を添加すると**機械泡消火剤**になりますが，水に硫酸ナトリウムを添加するような消火剤はないので，注意してください（⇒出題例あり）。

C　誤り。泡消火剤の消火効果は，主に泡によって燃焼物を覆うことによる**窒息効果**であり，また，水系消火剤に共通する**冷却効果**もあります。

D　正しい。

E　誤り。二酸化炭素消火剤は，主に**窒息効果**により消火するので，人が居る狭い空間で使用すると，酸欠事故を起こす危険性があります。

（C，Eが誤り）

問題19 **解答** (2)

解説 A　静電気が発生したからといって，物質の温度が上昇することはないので，誤りです。

B　正しい。

C　可燃性の蒸気，または可燃性の粉じんがあるところで静電気が放電すると，その静電火花が**着火源**となって，引火または爆発するおそれがあるので，誤りです。

D　正しい。蓄積された静電気が，何らかの原因で放電した場合に，Cのように，引火または爆発するおそれがあります。

E　静電気は**人体にも帯電する**ので，正しい（注：人体や靴にも帯電する）。従って，誤っているのは，A，Cの２つということになります。

　　なお，「**人体の近くに帯電した物体があると，帯電した物体から人体に**

向けて放電した場合のみ，人体に帯電する。」という出題例もありますが，人体が帯電する場合，帯電した物体から人体に向けて放電した場合以外にも，衣服を着るときやその他の原因によっても帯電することがあるので，誤りとなります。

問題20 **解答** (3)

解説 (1)(2)　正しい。

(3)　酸素は，活性な元素で電気陰性度が高く，ほとんどあらゆる元素と反応しますが(⇒化学結合をするということ)，希ガス元素とは反応しないので，誤りです。

> **希ガス元素**
> 周期表第18族に属するヘリウム・ネオン・アルゴン・クリプトン・キセノン・ラドンの6種の元素の総称(希ガス元素の「希」は，「まれ」「めったにない」という意味)

(4)　酸素の臨界温度は−118℃であり，常温（20℃）では，いくら高圧にしても液体にはならないので，正しい（注：液体酸素は淡青色）。

(5)　正しい。なお，有機化合物の多くは，その構成元素に酸素を含んでいます。

問題21 **解答** (2)

解説 異性体とは，**分子式が同じであっても性質や構造が異なる化合物どうし**のことをいいます。

A　メタノールは CH_3OH，エタノールは C_2H_5OH で，分子式が異なるので，異性体ではありません。

B　n−ブタンとイソブタンは，ともに分子式が C_4H_{10} ですが，炭素原子Cの並び方が異なるので**構造異性体**となります。

C　水素と重水素は，**同位体**（原子番号は同じであるが質量数が異なるものどうし。同位元素，アイソトープともいう）です。

D　黄リンと赤リンは，**同素体**（同じ原子からなる単体であっても，性質

の異なる物質どうし）です。

E　エタノールとジメチルエーテルは，ともに分子式が **C₂H₆O** ですが，Bと同じく，構造と性質が異なるので，**異性体**となります。

従って，異性体は，BとEの2つとなります。

なお，異性体は分子式が同じということで，**燃焼時に消費する酸素量（空気量）も同じ**です。従って，「○○と消費する酸素量（空気量）が同じものは次のうちどれか。」という問題が出題された場合，○○と異性体のものがあれば，それが正解となるので，主な異性体は覚えておいた方がよいでしょう（よく出題されているので，要注意！）。

（例：分子式 C₄H₁₀O で表される化合物には，ジエチルエーテル，イソブチルアルコール，n－ブチルアルコールなどがある。）

問題22　**解答**　(2)

解説　モル濃度は，　$\dfrac{溶質の物質量〔mol〕}{溶液の体積〔\ell〕}$　という式で求められます。

つまり，溶液1 ℓ に溶けている溶質（塩化ナトリウム）の mol 数であるので，それが1 ℓ 中0.5mol あるということは，100mℓ（＝0.1 ℓ）では0.05mol あるということになります。

NaCl 1 mol の分子量は58.5 g なので，0.05mol だと，58.5 g × 0.05 ＝**2.925 g** 溶けている，ということになります。

問題23　**解答**　(3)

解説　まず，下線を引いた物質内の原子の酸化数をチェックします。

そのとき，酸化数が減少した原子があれば，その物質は**酸化剤**として作用した，ということになります（⇒　酸化数が減少ということは，自身は還元されている。ということは，他の物質の酸化数をその分増やしたということになり，酸化剤として作用した，ということになる）。

また，その逆，つまり，酸化数が増加した原子があれば，その物質は**還元剤**として作用したことになります。

これらを念頭において順に確認すると，

A． $\underline{SO_2}$ ＋ 2 HNO₃ → H₂SO₄ ＋ 2 NO₂

SO_2 の S の酸化数は＋4。一方，H_2SO_4 の $SO_4{}^{2-}$ の電荷は－2なので，「S の酸化数＋O の酸化数（－2）×4」＝－2となり，S の酸化数は＋6となります。従って，＋4⇒＋6と増加しているので，**還元剤**として作用したことになります。

B． Zn ＋ $\underline{H_2SO_4}$ → ZnSO₄ ＋ H₂

H_2SO_4 の H の酸化数は＋1，右辺にある H₂ の H の酸化数は0と減少しているので，還元されており，逆に相手の物質を酸化しているので，**酸化剤**として作用したことになります。

C． $\underline{H_2O_2}$ ＋ 2 KI ＋ H₂SO₄ → 2 H₂O ＋ I₂ ＋ K₂SO₄

H_2O_2 中の O の酸化数は，－1。H₂O の O の酸化数は－2になっているので，酸化数は減少しています。すなわち，**酸化剤**としてはたらいています。

ちなみに，酸化剤の標的は I であり，I の酸化数は－1から0へと上昇しています。

すなわち，**酸化**されています。

D． $\underline{Cu}$ ＋ 4 HNO₃ → Cu(NO₃)₂ ＋ 2 NO₂ ＋ 2 H₂O

Cu の酸化数は0，Cu (NO₃)₂ の Cu の酸化数は＋2なので，0⇒＋2と増加しているので，**還元剤**として作用したことになります。

E． $\underline{MnO_2}$ ＋ 4 HCl → MnCl₂ ＋ 2 H₂O ＋ Cl₂

MnO_2 の Mn の酸化数は＋4，MnCl₂ の M n の酸化数は＋2と減少しているので，**酸化剤**として作用したことになります。

従って，下線部分の物質が酸化剤として作用しているものは，B と C と E の3つとなります。

問題24　**解答**　(3)

解説　金属の腐食を防ぐ（遅らせる）方法に，目的とする金属より**イオン化傾向の大きい金属**を接続する方法があります。つまり，イオン化傾向の大きい金属を先に腐食させることによって，目的とする金属の腐食を遅らせるわけです（⇒ p277，(9)の②参照）。

　従って，鋼，すなわち，鉄（Fe）よりイオン化傾向の大きい金属を A ～ E のうちに探せばよいわけです。

　イオン化列は次のとおりです（下線部の金属が問題の金属）。

K > Ca > Na > $\underline{Mg}$ > $\underline{Al}$ > $\underline{Zn}$ > **Fe** > Ni > $\underline{Sn}$ > $\underline{Pb}$ >（H_2）> Cu > Hg > Ag > Pt > Au

　問題の金属のうち，鉄（Fe）よりイオン化傾向の大きい金属は，Fe より左にある，アルミニウム，マグネシウム，亜鉛の3つということになります。

問題25　**解答**　(4)

解説　$-NH_2$ はアミンのアミノ基であり，フェノール類はアルコール類と同じく $-OH$ です。

＝危険物の性質並びにその火災予防及び消火の方法＝

問題26　**解答**　(5)

解説　(1)　第1類の危険物の多くは，無色の結晶か白色の**粉末固体**なので，誤りです。

(2)　第2類の危険物は，不燃性ではなく**可燃性の固体**なので，誤りです。

(3)　第4類の危険物の多くは，水より**軽く**，二硫化炭素（CS_2）など酸素を含まないものも多くあります。

(4)　第5類の危険物は，自身に酸素を含有しているので，燃焼速度が**速く**，加熱，衝撃，摩擦等により**発火，爆発する**ものが多いので，誤りです。

(5)　第6類の危険物は**腐食性**があるので，保存する際の容器などに注意する

必要があります。よって，正しい。

問題27 　**解答**　(2)

解説 第5類危険物のうち，液体のものは，**メチルエチルケトンパーオキサイド（エチルメチルケトンパーオキサイド），過酢酸，硝酸エチル，硝酸メチル，ニトログリセリン**なので，B，Cの2つになります。

（Aのアジ化ナトリウムは無色の板状結晶，Dのニトロセルロースは無色の綿状固体，Eの硫酸ヒドラジンは白色の結晶です。）

問題28 　**解答**　(1)

解説 (1) 硝酸エチルは，**芳香**のある**無色透明**の液体なので，誤りです。

(2) 硝酸エチルの比重は，**1.11**なので，正しい。

(4) 硝酸エチルの引火点は**10℃**なので，常温（20℃）より低く，正しい。

問題29 　**解答**　(2)

解説 (2) 過酸化ベンゾイルを乾燥状態にすると危険性が増すので，誤りです。

(4) 硫酸や硝酸などの**強酸**や**有機物**および**アミン類**などと接触すると，分解して爆発する危険性があるので，正しい。

(5) 日光の直射により分解が促進されるので，正しい。

問題30 　**解答**　(4)

解説 (1) 正しい。

(2) 五フッ化臭素の沸点は**41℃**と低く，蒸発しやすいので，正しい。

(3) 五フッ化臭素は三フッ化臭素より反応性に富み，ほとんどの金属および多くの非金属元素と反応して，**フッ化物**を生じるので，正しい。

(4) 五フッ化臭素は，水と激しく反応して**フッ化水素**を生じるので，誤りです。

(5) 五フッ化臭素の融点は**−60℃**と低く，正しい。

問題31 **解答** (2)

解説 (1) 過酸化水素は，**水**や**アルコール**，**ジエチルエーテル**に溶けます（**石油エーテル**，**ベンゼン**には溶けません。なお，石油エーテルとジエチルエーテルは別の物質です。）

(2) オキシドールは，過酸化水素の約**2.5〜3.5%**の水溶液なので，誤りです。

(3) 正しい。

(4) 過酸化水素は，不安定で分解しやすいので，**リン酸や尿酸**などの安定剤が加えられており，正しい。

(5) 過酸化水素は強力な酸化剤ですが，自身より，強い**酸化剤**（過マンガン酸カリウム $KMnO_4$ など）に対しては，**還元剤**として作用するので，正しい。

問題32 **解答** (2)

解説 A 過塩素酸は第６類危険物なので**不燃性物質**ですが，加熱により**爆発**することがあるので，誤りです。

B 過塩素酸は，空気中で激しく**発煙**するので，正しい。

D 過塩素酸は，赤褐色ではなく，**無色透明**の液体なので，誤りです。

（A，Dの２つが誤り）。

問題33 **解答** (3)

解説 A 第１類の危険物の比重は１より大きいので，正しい。

B 引火性物質は，第４類危険物や第２類の引火性固体などが該当しますが，第１類危険物は**酸化性固体**であり，引火性はないので，誤りです。

C 第１類危険物は**酸素を含有**している物質であり，加熱，衝撃，摩擦等により分解して**酸素を放出**するので，正しい。なお，「分子中に酸素を含有しないものもある。」という出題例もありますが，上記下線部より，誤りです。

D 第１類危険物の中には，過塩素酸カリウムのように水に溶けにくいものもありますが，一般的には水に溶けやすい物質なので，正しい。

E　第1類危険物には自然発火性の性状はないので，誤りです（自然発火性物質には，**第3類の危険物**や第4類の**乾性油**などが該当します）。

　　従って，正しいのは，A，C，Dの3つということになります。

解答

問題34　**解答**　(4)

解説 (1)　重クロム酸アンモニウムは**オレンジ系（橙赤色）の結晶**であり，正しい。

(3)　加熱すると，融解せずに分解して**窒素**を発生するので，正しい。

(4)　重クロム酸アンモニウムは，**水にもエタノールにも溶ける**ので，誤りです。

(5)　第1類の危険物と有機物や可燃物が混合すると，加熱，衝撃および摩擦により爆発する危険性があるので，正しい（注：有機物＝可燃物ではありません。たとえば，第2類の金属粉は無機物ですが，可燃物です）。

問題35　**解答**　(2)

解説 A　可燃物や有機物などの**異物**が混入すると，加熱，衝撃，摩擦等により発火，爆発する危険性があるので，正しい。

B　過酸化ナトリウムなどの無機過酸化物は，**水と激しく反応して発熱する**ので，湿気を避けて乾燥状態で保管する必要があり，正しい。

C　硫黄は第2類の可燃性固体であり，Aの解説より，可燃物が混入すると，加熱，衝撃，摩擦等により発火，爆発する危険性があるので，誤りです。

D　Bの解説より，過酸化ナトリウムは，湿気を避けるため，容器は**密栓**する必要があり，ガス抜き口を設けた容器というのは，誤りです。

E　正しい。

　　従って，誤っているのは，CとDの2つということになります。

問題36　**解答**　(1)

解説 (1)　第1類危険物で水と反応するのは，過酸化カリウムや過酸化ナトリウムなどの**無機過酸化物**であり，その他の第1類危険物は消火の際に注水

することからもわかるように，水とは反応しないので，誤りです。

(3)　塩素酸ナトリウムは，**無色**または**白色の結晶**なので，正しい。

(5)　第1類危険物を加熱すると分解して**酸素**を発生するので，正しい。

問題37　解答　(1)

解説(1)　静電気の帯電を防ぐには，靴の底から静電気を大地に逃がす必要がありますが，絶縁性の大きい靴を使用すると，静電気は大地に逃げることができず，帯電してしまうので，放電による静電火花を生じる危険性があります。よって，事故防止対策としては，不適当です。

(3)　加湿器等を用いて室内の湿度を高くすると，静電気が水分に移動して静電気の蓄積を防止することができるので，正しい。

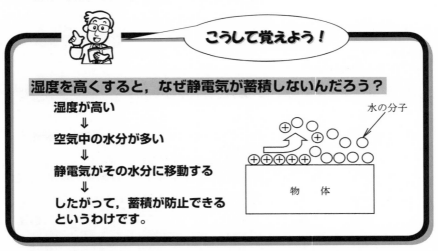

(4)　静電気は引火性液体の流速が大きいほど発生しやすく，小さいほど発生しにくくなるので，正しい。

問題38　解答　(3)

解説ベンゼンとトルエンは，ガソリンと同じく**第1石油類**の危険物であり，その消火に不適応なのは，**第4類危険物全体に不適応な消火器**になります。

　　第4類危険物全体に不適応な消火器は,「水を用いるもの」と「棒状放射の強化液消火器」です。従って,(3)の棒状の強化液を放射する消火器が適切でないもの,ということになります。

問題39　**解答**　(3)

解説(1)　二硫化炭素の発火点は**90℃**で,第4類危険物の中でも最も低いので,正しい。

(3)　第4類危険物は,一般的に水より**軽い**引火性液体ですが,二硫化炭素やグリセリンなど,一部のものは水より**重い**ので,誤りです。

(4)　アセトアルデヒドの沸点は**20℃**と,沸点が非常に低い特殊引火物のなかでも特に低く揮発しやすいので,正しい。

(5)　重合とは,低分子量の化合物が発熱を伴って多数結合し,分子量の大きな化合物を生じる反応のことをいいます。酸化プロピレンは,その重合反応を起こしやすく,その際大量の熱を発生するので,正しい。

第4類の危険物を全部同時に温めると二硫化炭素が一番最初に"発火"します

二硫化炭素 ⇨ 発火点が第4類の中で一番低い

問題40　**解答**　(3)

解説ジエチルエーテルを空気と長く接触させたり,あるいは,日光にさらしたりすると,**爆発性の過酸化物**を生じ,加熱,衝撃または摩擦により爆発する危険性があります。

問題41　**解答**　(2)

解説A　第2類危険物を酸化剤と接触すると,発火,爆発する危険性があるので,正しい。

B　鉄粉や金属粉（アルミニウム粉,亜鉛粉）などは,酸に溶けて**水素**を発

生するので，正しい（金属粉は水酸化ナトリウムなどの**アルカリ**にも溶け
て**水素**を発生する）。

C　粉末状に飛散した**鉄粉**や**金属粉**などは，火気により**粉じん爆発**を起こす
危険性があるので，誤りです。

D　固形アルコールやラッカーパテなどの**引火性固体**は，40℃未満で可燃性
蒸気を発生し，火気の存在により引火する危険性があるので，正しい。

E　第2類危険物で硫化水素を発生するのは，硫化リンですが，燃焼したと
きではなく，**水**（三硫化リンは熱水）との接触により加水分解して発生す
るので，誤りです（硫化リンが燃焼したときに発生するのは，**二酸化硫黄**，
つまり，**亜硫酸ガス**です）。

従って，誤っているのは，CとEの2つとなります。

問題42　**解答**　(2)

解説　A　正しい。鉄粉がたい積した物は，内部に熱が伝わりにくい空気を含
むことにより熱伝導率が**小さく**なります。

B　誤り。鉄粉でも，**浮遊状態**にあるものは単位重量当たりの表面積が大き
くなるので（隣接する鉄の粒子どうしが離れているため），酸化されやす
くなりますが，**たい積物**の場合は，隣接する鉄の粒子どうしが密着してい
るので，空気と接する部分が小さくなり，単位重量当たりの表面積が**小さ
く**なるので，**酸化されにくく**なります。

C　正しい。鉄粉が水と反応した場合，鉄表面から電子を放出してイオン化
します。つまり，鉄が電子を失うので**酸化反応**となるわけですが，その際
に発生する酸化熱が蓄積して発火することがあります。

　なお，油が混触したものを長時間放置した場合は，**自然発火**すること
があります。

D　正しい。乾燥した鉄粉は，小さな炎でも容易に着火して燃えます（燃え
て**黒色**や**赤褐色**の酸化鉄になる⇒白っぽくはならないので注意）。

　なお，「白い炎をあげて燃える」ではなく，「白いせん光を伴って燃焼す
る」とあれば，マグネシウムの燃焼の説明になるので，この場合は×にな

解答

りＦ（B，Ｆが誤り。）

E　正しい。

F　誤り。塩化ナトリウムは**金属火災用粉末消火剤**の成分であり，混合しても爆発することはありません。

（B，Ｆが誤り。）

問題43　解答　(4)

解説 (1)　硫黄は水には溶けないので，誤りです。

(2)　硫黄が燃焼すると，硫化水素ではなく，**二酸化硫黄**を発生するので，誤りです。

(3)　硫黄の比重は**2.07**なので，水より**重く**，誤りです。

(4)　硫黄は二硫化炭素に溶けやすいので，正しい。

(5)　硫黄の発火点は，約**360℃**なので，誤りです（100℃で発火するのは，三硫化リンです）。

問題44　解答　(2)

解説 (1)　第３類の危険物には，カリウムやナトリウムなどのように固体のものが多いですが，**ジエチル亜鉛**や**アルキルアルミニウム**などのような**液体**もあるので，正しい。

(2)　第３類の危険物のほとんどは，**自然発火性**と**禁水性**の両方の性質を有していますが，すべてではなく，自然発火性のみを有する**黄リン**や禁水性のみを有する**リチウム**などのような物質もあるので，誤りです。

(3)　自然発火性を有する**黄リン**は，空気との接触を避けるため水中で貯蔵するので，正しい。

(4)　その**黄リン**のほかに，**アルキルアルミニウム**や**ジエチル亜鉛**なども，空気中において自然発火する危険性があるので，正しい。

(5)　第３類の危険物で，水と激しく反応して**水素**を発生するものには，次のような危険物があります。

　カリウム，ナトリウム，リチウム，バリウム，カルシウム，水素化ナトリウム，水素化リチウム。よって，正しい（巻末資料 p286の(3)水と反応するもの　参照）。

問題45　　解答　(3)

解説 A　元素やその化合物が，燃焼時にその元素特有の色の炎を生じる現象を炎色反応といい，主な炎色反応には，次のようなものがあります。

　　リチウム：深紅色または深赤色　　ナトリウム：黄色

　　カリウム：赤紫色　　　　　　　　　　銅：青緑

従って，正しい。

B　リチウムは，自然発火性はありませんが，禁水性の物質で，水と反応して**水素**を発生するので，誤りです。

C　リチウムは，ハロゲンとは激しく反応して**ハロゲン化物**（ハロゲン元素と他の元素との化合物の総称）を生じるので，正しい。

D　リチウムの密度は，常温（20℃）において，固体の単体の中で最も小さい（**固体金属中で最も軽い**）ので，当然，カリウムやナトリウムよりも比重が小さく，誤りです。なお，「ナトリウムやカリウムより反応性に富む」という出題例もありますが，ナトリウムやカリウムの方が反応性に富むので，誤りになります。

E　リチウムは自然発火性物質ではないので，空気に触れても発火はしません。ただし，粉末状のものについては発火する可能性もありますが，その際でも「直ちに」発火するほど反応性は大きくないので，誤りです。

　従って，誤っているのは，B，D，Eの3つとなります。

第3回

甲種危険物取扱者

模擬テスト

第 3 回

═══危 険 物 に 関 す る 法 令═══

問題 1

　法令上，屋外貯蔵所に貯蔵できる危険物のみの組み合わせとして，次のうち正しいものはどれか

(1)　トルエン　　　　重油　　　　　　アルコール類

(2)　硫黄　　　　　　ベンゼン　　　　二硫化炭素

(3)　動植物油類　　　ギヤー油　　　　ジエチルエーテル

(4)　硫化リン　　　　シリンダー油　　クレオソート油

(5)　アセトン　　　　灯油　　　　　　引火性固体(引火点が0℃以上のもの)

問題 2

　ある屋外貯蔵タンクに水溶性の第4類危険物Aが6,000ℓ貯蔵されている。Aは常温（20℃），1気圧において液体であり，引火点が13℃，発火点は363℃である。

　この屋外貯蔵タンクには，法令上，危険物Aが指定数量の何倍貯蔵されているか。

(1)　3倍　　　(2)　6倍　　　(3)　15倍　　　(4)　30倍　　　(5)　120倍

問題 3

　法令上，予防規程を定めなければならない製造所等は，次のうちいくつあるか。

　　　A　移送取扱所

　　　B　移動タンク貯蔵所

　　　C　給油取扱所

　　　D　屋外タンク貯蔵所

　　　E　第1種販売取扱所

　　　F　簡易タンク貯蔵所

(1)　1つ　　　(2)　2つ　　　(3)　3つ　　　(4)　4つ　　　(5)　5つ

問題 4

法令上，製造所等の位置，構造又は設備を変更する場合の手続きとして，次のうち正しいものはどれか。

(1) 変更の工事をしようとする日の10日前までに，市町村長等に届け出る。
(2) 変更の工事に係る部分が完成した後，直ちに市町村長等の許可を受ける。
(3) 変更の工事に着手した後，市町村長等にその旨を届け出る。
(4) 市町村長等の許可を受けてから変更の工事に着手する。
(5) 市町村長等に変更の計画を届け出てから変更の工事に着手する。

問題 5

法令違反と，これに対して市町村長等から発令される命令等の組み合わせとして，次のうち誤っているものはどれか。

(1) 仮使用の承認または完成検査を受けないで，製造所等を使用しているとき。
 ……………製造所等の使用停止命令または許可の取り消し
(2) 定期点検を実施しなければならない製造所等において，それを期限内に実施していないとき。
 ……………製造所等の停止命令または許可の取消し
(3) 危険物保安監督者がその責務を怠っているとき。
 ……………危険物の取扱作業の保安に関する講習の受講命令
(4) 製造所等の位置，構造又は設備が技術上の基準に適合していないとき。
 ……………製造所等の修理，改造又は移転命令
(5) 危険物の貯蔵または取扱いの方法が，危険物の貯蔵，取扱いの技術上の基準に違反しているとき。
 ……………危険物の貯蔵および取扱いの基準の遵守命令

問題 6

法令上，危険物取扱者について，次のうち誤っているものはどれか。

(1) 乙種危険物取扱者が取り扱える危険物の種類は，免状に指定されている。
(2) 乙種危険物取扱者が，免状に指定されていない類の危険物を取り扱う場

合は，甲種危険物取扱者または当該危険物を取り扱うことのできる乙種危険物取扱者が立ち会わなければならない。

(3) 製造所等では，危険物施設保安員の立会いがあっても危険物を取り扱うことができない。

(4) 乙種危険物取扱者が，危険物取扱者以外の者による危険物の取扱いに立会いをする場合は，当該免状に記載されている種類の危険物でなければならない。

(5) 丙種危険物取扱者が取り扱える危険物は，第4類危険物のみに限られている。

問題 7

法令上，危険物の取扱作業の保安に関する講習について，次のうち正しいものはどれか。

(1) 危険物取扱者が指定数量未満の危険物を貯蔵し，または取り扱う施設で危険物を取り扱う場合は，一定の期間内に受講しなければならない。

(2) 危険物取扱者が販売取扱所で危険物の取扱いに従事する場合は，一定の期間内に受講しなければならない。

(3) 危険物保安監督者に選任されている危険物取扱者のみが，この講習を受講しなければならない。

(4) 危険物保安統括管理者として所有者等から選任された場合は，受講しなければならない。

(5) 指定数量以上の危険物を車両で運搬する危険物取扱者は，一定の期間内に受講しなければならない。

問題 8

法令上，危険物保安監督者の業務について，次のうち誤っているものはどれか。

(1) 危険物施設保安員を置く製造所等にあっては，危険物施設保安員に対して必要な指示を行わなければならない。

(2) 危険物の取扱作業の実施に際し，当該作業が貯蔵，取扱いの技術上の基

準および予防規程等の保安に関する規定に適合するように作業者に対して必要な指示を与えなければならない。

(3)　火災等の災害が発生した場合は，作業者を指揮して応急の措置を講じ，災害が拡大したときには消防機関その他関係のある者に連絡しなければならない。

(4)　危険物保安監督者に危険物の保安の業務を行わせることが，公共の安全の維持若しくは災害発生の防止に支障を及ぼすおそれがあると認めるときは，危険物保安監督者の解任を命ぜられることがある。

(5)　製造所等の位置，構造又は設備の変更，その他法に定める諸手続きに関する業務について実施しなければならない。

問題9

法令上，製造所等における定期点検について，次のうち正しいものはどれか。ただし，規則で定める漏れに関する点検を除く。

(1)　点検の記録は1年間保存しなければならない。

(2)　危険物施設保安員を定めている製造所等では，定期点検を行う必要はない。

(3)　定期点検は，3年に1回実施しなければならない。

(4)　定期点検の結果を消防機関に報告しなければならない時期については，法令で定められている。

(5)　移動タンク貯蔵所及び危険物を取り扱うタンクで地下にあるものを有する給油取扱所は，貯蔵し，又は取り扱う危険物の指定数量の倍数に関係なく定期点検の実施対象である。

問題10

法令上，危険物を取り扱う建築物等の周囲に，一定の幅の空地を保有しなければならない旨の規定が設けられている製造所等のみを掲げている組み合わせは，次のうちどれか。

(1)　屋内タンク貯蔵所，屋内貯蔵所，販売取扱所

(2)　給油取扱所，製造所，簡易タンク貯蔵所（屋外に設けるもの）

(3)　地下タンク貯蔵所，屋内タンク貯蔵所，製造所

(4) 一般取扱所，屋外貯蔵所，屋内貯蔵所

(5) 販売取扱所，給油取扱所，屋外貯蔵所

問題11

法令上，危険物を取り扱う配管の位置，構造および設備の技術上の基準について，次のうち正しいものはどれか。

(1) 配管は，鋼鉄製又は鋳鉄製のものでなければならない。

(2) 配管を地下に設置する場合には，その上部の地盤面を車両等が通行しない位置としなければならない。

(3) 配管を屋外の地上に設置する場合には，当該配管を直射日光から保護するための設備を設けなければならない。

(4) 配管に加熱又は保温のための設備を設ける場合には，火災予防上，安全な構造としなければならない。

(5) 配管は，十分な強度を有するものとし，かつ，当該配管に係る最大常用圧力の5.5倍以上の圧力で水圧試験を行ったとき，漏えいその他の異常がないものでなければならない。

問題12

法令上，製造所等における危険物の貯蔵および取扱いの基準について，次のA～Eのうち誤っているものはいくつあるか。

A 屋内貯蔵所において，引火性固体と灯油を相互に1m離した状態で貯蔵した。

B 屋外貯蔵所において，引火点0℃未満の第1石油類を金属製ドラムに入れ，密封して貯蔵した。

C 地下貯蔵タンクにエタノールを貯蔵した。

D タンク専用室が，平家建以外の建築物にある屋内貯蔵タンクにガソリン（引火点40℃未満）を貯蔵した。

E 移動貯蔵タンクから地下貯蔵タンクに軽油を注入するとき，移動タンク貯蔵所の原動機を停止しないで，注入した。

(1) 1つ　　(2) 2つ　　(3) 3つ　　(4) 4つ　　(5) 5つ

問題13

運搬方法の技術上の基準について，法令上，次のうち誤っているものはどれか。

(1) 指定数量以上の危険物を車両で運搬する場合において，積み替えや休憩，故障等のため車両を一時停止させるときは，安全な場所を選び，かつ，運搬する危険物の保安に注意すること。

(2) 危険物を収納した運搬容器を積み重ねる場合は，高さを3m以下としなければならない。

(3) 指定数量以上の危険物を車両で運搬する場合には，0.3m平方の地が黒色の板に黄色の反射塗料その他反射性を有する材料で，「危」と表示した標識を車両に掲げること。

(4) 指定数量以上の危険物を車両で運搬する場合には，当該危険物に適応する第4種の消火設備を備えること。

(5) 第1類危険物，自然発火性物品，第4類の特殊引火物，第5類危険物，第6類危険物を運搬する場合は，日光の直射を避けるため遮光性の被覆で覆わなければならない。

問題14

法令上，製造所等に設ける消火設備の設置基準について，次のうち正しいものはどれか。

(1) 移動タンク貯蔵所には，第4種の消火設備と第5種の消火設備をそれぞれ1個以上設けること。

(2) 第4種の消火設備は，原則として防護対象物の各部分から1つの消火設備に至る歩行距離が20m以下となるように設けること。

(3) 危険物については，指定数量の100倍を1所要単位とすること。

(4) 建築物に対しては第4種の消火設備を，危険物に対しては第3種の消火設備を設けること。

(5) 電気設備に対する消火設備は，電気設備を設置する場所の面積100m²ごとに，1個以上設けること。

第3回

問題15

次のA〜Gに掲げるもののうち，製造所の掲示板に表示しなくてよいものはいくつあるか。

  A 危険物の取扱最大数量

  B 危険物の類，品名

  C 所有者，管理者又は占有者の氏名

  D 許可行政庁の名称及び許可番号

  E 危険物の指定数量の倍数

  F 製造所等の所在地

  G 危険物保安監督者の氏名又は職名

(1) 1つ (2) 2つ (3) 3つ (4) 4つ (5) 5つ

═══物 理 学 及 び 化 学═══

問題16

次の物質の組み合わせのうち，常温（20℃），1気圧において，どちらも通常，表面燃焼するものはどれか。

(1) メタノール，ガソリン (2) プラスチック，アルミニウム粉

(3) 木材，硫黄   (4) コークス，ニトロセルロース

(5) 木炭，アルミニウム粉

問題17

次の組み合わせのうち，燃焼が起こる可能性のないものはどれか。

(1) 炎……………………………硝酸メチル………………………空気

(2) 静電気の火花………………二硫化炭素………………………空気

(3) 酸化熱の蓄熱………………鉄粉………………………………空気

(4) 衝撃火花……………………ヘリウム…………………………酸素

(5) 熱水…………………………ナトリウム………………………酸素

問題18

各物質 1 mol を完全燃焼させた際に消費される理論酸素量が互いに等しい組み合わせは，次のうちどれか。

(1)　水素　　　　　炭素
(2)　ベンゼン　　　一酸化炭素
(3)　メタン　　　　酢酸
(4)　エタン　　　　アセトン
(5)　亜鉛　　　　　アルミニウム

問題19

消火剤とその主な消火効果の組み合わせで，次のうち誤っているものはどれか。

(1)　水消火剤……………………比熱，蒸発熱により冷却する効果
(2)　強化液消火剤………………比熱，蒸発熱により冷却する効果
(3)　泡消火剤……………………酸素の供給を遮断し窒息する効果
(4)　二酸化炭素消火剤…………燃焼を化学的に抑制する効果
(5)　粉末消火剤…………………燃焼を化学的に抑制する効果

問題20

静電気の帯電体が放電するとき，その放電エネルギー E 及び帯電量 Q は，帯電電圧を V，静電容量（電気容量）を C とすると次の式で与えられる。

$$E = \frac{1}{2}QV \qquad Q = CV$$

このことについて，次のうち誤っているものはどれか。

(1)　最小着火エネルギーは，帯電電圧 $V = 1$ のときの放電エネルギー E の値をいう。
(2)　帯電量 Q は帯電体の帯電電圧 V と静電容量 C の積で表される。
(3)　放電エネルギー E の値は，帯電体の静電容量 C が同一の場合，帯電電圧 V の 2 乗に比例する。
(4)　静電容量 $C = 200\mathrm{pF}$ の物体が 1,000 V に帯電したときの放電エネルギー

E は，1.0×10^{-4} J となる。

(5) 帯電量 Q を変えずに帯電電圧 V を大きくすれば，放電エネルギーも大きくなる。

問題21

原子について説明した次の文章において，（A）〜（C）に当てはまる語句として，正しい組み合わせは次のうちどれか。

「原子は，中心にある原子核といくつかの（A）から成り立っており，原子核はいくつかの中性子と（B）から成り立っている。また，原子核に含まれている（B）の数を原子番号といい，その（B）の数と中性子の数の和がその原子の質量数となる。なお，同一元素であっても中性子数が異なるものどうしを（C）という。」

	（A）	（B）	（C）
(1)	中性子	陽子	異性体
(2)	電子	電子	同素体
(3)	陽子	陽子	同位体
(4)	中性子	電子	同素体
(5)	電子	陽子	同位体

問題22

80℃の塩化カリウムの飽和水溶液120 g を20℃まで冷やした場合，析出する塩化カリウムの量として，次のうち正しいものはどれか。ただし，水に対する塩化カリウムの溶解度は，20℃では35 g，80℃では50 g であるものとする。

(1) 12 g　　(2) 16 g　　(3) 18 g　　(4) 22 g　　(5) 24 g

問題23

中和滴定において，濃度0.1mol/ℓ の水溶液の酸および塩基とその際に用いる指示薬として，組み合わせが適切でないものは次のうちどれか。なお，メチルオレンジの変色域は pH ＝3.1〜4.4，フェノールフタレ

インの変色域は pH ＝8.3〜10である。

	酸	塩基	指示薬
(1)	硫酸	水酸化ナトリウム	メチルオレンジ
(2)	塩酸	炭酸ナトリウム	メチルオレンジ
(3)	酢酸	水酸化カリウム	メチルオレンジ
(4)	硫酸	アンモニア水	メチルオレンジ
(5)	硝酸	水酸化カリウム	フェノールフタレイン

第3回

問題

問題24

　酸および塩基の価数の組み合わせで，次のうち正しいものはいくつあるか。

　　A　塩酸……………………………一塩基酸

　　B　水酸化カルシウム………………一酸塩基

　　C　硝酸……………………………二塩基酸

　　D　酢酸……………………………一塩基酸

　　E　リン酸…………………………一塩基酸

　　F　シュウ酸………………………二酸塩基

(1)　1つ　　(2)　2つ　　(3)　3つ　　(4)　4つ　　(5)　5つ

問題25

　化学結合および分子間力について，次の A〜Dの組み合わせのうち，誤っているものはいくつあるか。

　　A　イオン結合………………陽イオンと陰イオンとが静電気力によって

　　　　　　　　　　　　　　　　引き合う結合

　　B　共有結合…………………2個の原子間で互いにいくつかの価電子を

　　　　　　　　　　　　　　　　出し合って電子対をつくり，それを共有し

　　　　　　　　　　　　　　　　てつくる結合

　　C　金属結合…………………自由電子がすべての原子によって共有され

　　　　　　　　　　　　　　　　ることによる原子間の結合

　　D　ファンデルワールス力……分子間に働く引力

第3回

(1) なし　　(2) 1つ　　(3) 2つ　　(4) 3つ　　(5) 4つ

＝＝危険物の性質並びにその火災予防及び消火の方法＝＝

問題26

危険物の性状について，次のうち誤っているものはどれか。

(1) 危険物には単体，化合物および混合物の3種類がある。

(2) 同一の物質であっても，形状および粒度によって危険物になるものとならないものがある。

(3) 水と接触して発火，あるいは，可燃性ガスを発生するものがある。

(4) 多くの酸素を含んでおり，他から酸素の供給がなくても燃焼するものがある。

(5) 引火性液体の燃焼は蒸発燃焼であるが，引火性固体の燃焼は分解燃焼である。

問題27

第1類の危険物にかかわる火災に対しては，窒息効果が主体の消火方法では効果が少ないといわれているが，この理由として，最も適切なものは次のうちどれか。

(1) 不燃性であるから

(2) 引火性があるから

(3) 燃焼温度が高いから

(4) 内部（自己）燃焼をするから

(5) 危険物が分解して酸素を供給するから

問題28

過塩素酸ナトリウムと過塩素酸カリウムとに共通する性状として，次のうち誤っているものはどれか。

(1) ともに水より重い。

(2) ともに水によく溶ける。

(3) ともに可燃物が混入すると衝撃などにより爆発する危険性がある。

(4) ともに無色または白色の結晶である。

(5) ともに加熱すると分解し，酸素を発生する。

問題29

過酸化ナトリウムの性状等について，次のうち誤っているものはいくつあるか。

    A 吸湿性が強い。

    B 加熱すると分解して水素を発生する。

    C 一般的に赤紫色の結晶である。

    D 火災時には，注水による消火が有効である。

    E 漂白剤，有機過酸化物の製造に用いられる。

(1) 1つ   (2) 2つ   (3) 3つ   (4) 4つ   (5) 5つ

問題30

三酸化クロムの性状等について，次のうち誤っているものはどれか。

    A 皮膚をおかす。

    B 白色の針状結晶である。

    C 水に溶かすと強い酸性を示す。

    D 水との接触を避け，ジエチルエーテル中に保管する。

    E 潮解性を有する。

(1) AとB   (2) BとC   (3) BとD   (4) CとD   (5) CとE

問題31

第5類のニトロ化合物および硝酸エステル類に共通する性状として，次のうち適切なものはいくつあるか。

    A ともにニトロ基をもつ化合物である。

    B 水に溶けにくいものが多い。

    C 水より重い。

D　一般に消火は困難である。

E　急激な加熱，打撃等を加えると爆発するおそれがある。

(1)　1つ　　(2)　2つ　　(3)　3つ　　(4)　4つ　　(5)　5つ

問題32

過酸化ベンゾイルの性状について，次のうち誤っているものはどれか。

A　濃硫酸や硝酸，アミン類などと反応して燃焼，爆発するおそれがある。

B　加熱，衝撃，摩擦等のほか，光によっても分解される。

C　水や有機溶剤に溶ける。

D　強い酸化性を有している。

E　初期消火の際は，粉末（リン酸塩類を使用するもの）やハロゲン化物消火剤も適応する。

(1)　AとB　　(2)　AとD　　(3)　BとC

(4)　BとE　　(5)　CとE

問題33

第２類の危険物の性状について，次のうち正しいものはどれか。

(1)　燃焼速度の速いものがある。

(2)　固形アルコールを除き，引火性はない。

(3)　常温（20℃）で液状のものがある。

(4)　水と反応するものは，すべて水素を発生し，これが爆発することがある。

(5)　一般的に，水に溶けやすい。

問題34

硫黄の性状について，次のうち正しいものはどれか。

(1)　水より軽い物質で，腐卵臭を有している。

(2)　エタノール，ジエチルエーテルによく溶ける。

(3)　酸に溶けて硫酸を生成する。

(4)　加熱すると，80℃付近で溶解し始める。

(5)　電気の不良導体である。

問題35

赤リンの性状について，次のA～Eのうち誤っているものはいくつあるか。

A 赤褐色の粉末で，比重は1より大きい。

B 無臭，無毒で，粉じん爆発することがある。

C 純粋な赤リンは，空気中で自然発火することがある。

D 水に溶けにくいが，二硫化炭素にはよく溶ける。

E 空気中でリン光を発する。

(1) 1つ　　(2) 2つ　　(3) 3つ　　(4) 4つ　　(5) 5つ

問題36

自動車ガソリンの性状について，次のうち誤っているものはどれか。

(1) 燃焼範囲は，おおむね1.4vol%～7.6vol%である。

(2) 水と混ぜると，上層はガソリンに，下層は水に分離する。

(3) 引火点は，－40℃以下である。

(4) 蒸気は空気より3～4倍重い。

(5) 自然発火しやすい。

問題37

次の第4類危険物の中で，比重が1より大きいものは，いくつあるか。

「ヘキサン，二硫化炭素，酢酸，メチルエチルケトン，クロロベンゼン，グリセリン」

(1) 1つ　　(2) 2つ　　(3) 3つ　　(4) 4つ　　(5) 5つ

問題38

次の文中の（　）内に入る泡消火剤について，適切なものはどれか。

「アルコールなどの水溶性液体の火災に，油火災に用いられている通常の泡消火剤を使用すると，火面を覆った泡が破壊し溶けて消滅してしまうので，これらの火災には（　）が用いられる。」

(1)　たん白泡消火剤　　　(2)　水成膜泡消火剤

(3)　水溶性液体用泡消火剤　　(4)　フッ素たん白泡消火剤

(5)　合成界面活性剤泡消火剤

問題39

過酸化水素の貯蔵，取扱いについて，次のうち誤っているものはいくつあるか。

　　A　水で希釈するときは，激しく発熱するので少量ずつ水を加える。

　　B　有機物や可燃物から離して貯蔵する。

　　C　銅や普通鋼などから離して貯蔵し，または取り扱う。

　　D　リン酸と接触すると分解が促進されるので，リン酸から離して貯蔵し，

　　　　または取り扱う。

　　E　通風のよい冷暗所に，容器を密栓して貯蔵する。

(1)　1つ　　(2)　2つ　　(3)　3つ　　(4)　4つ　　(5)　5つ

問題40

過塩素酸の性状として，次のうち誤っているものはいくつあるか。

　　A　化学反応性が極めて強く，ガラスや陶磁器なども腐食する。

　　B　単独では爆発することはない。

　　C　水に溶けやすく，水とは作用しない。

　　D　強い酸化性を有する。

　　E　ナトリウムやカリウムとは反応しない。

(1)　1つ　　(2)　2つ　　(3)　3つ　　(4)　4つ　　(5)　5つ

問題41

第3類の危険物の一般的な火災予防として，次のA～Eのうち誤っているものはいくつあるか。

　　A　貯蔵する場合は，小分けするより，なるべくまとめて貯蔵する。

　　B　たい積すると蓄熱しやすいので，屋外の通風の良いところに貯蔵する。

　　C　自然発火性の物品は，空気との接触を避ける。

D　水と反応するものは酸素を発生するので，水との接触を避ける。

　　E　雨天や降雪時の詰め替えは，窓を開放し，外気との換気をよくしながら行う。

(1)　1つ　　(2)　2つ　　(3)　3つ　　(4)　4つ　　(5)　5つ

問題42

黄リンの性状等について，次のうち正しいものはいくつあるか。

　　A　無臭，無毒であるが，皮膚に触れると火傷を起こすことがある。

　　B　発火点は，100℃より高い。

　　C　弱酸性の水中に貯蔵する。

　　D　水や二硫化炭素に溶ける。

　　E　燃焼すると無水リン酸ができるため，白煙を生じる。

(1)　なし　　(2)　1つ　　(3)　2つ　　(4)　3つ　　(5)　4つ

問題43

　炭化カルシウムについて，次の文の（　）内のA〜Cに当てはまる語句の組み合わせとして，正しいものはどれか。

　「純品は常温（20℃）で（　A　）の結晶であるが，一般に流通しているものは不純物を含み灰黒色を呈していることが多い。高温では強い（　B　）性があり，多くの酸化物を（　B　）する。また，水と作用して発熱し，（　C　）ガスを発生して水酸化カルシウムとなる。」

	A	B	C
(1)	無色透明	還元	アセチレン
(2)	灰色	酸化	エチレン
(3)	灰色	還元	エチレン
(4)	褐色	酸化	アセチレン
(5)	無色透明	酸化	アセチレン

第3回

問題44

　ナトリウムの性状等として，次のうち誤っているものはいくつあるか。

　　A　淡紫色で光沢のある，水よりも重い金属である。

　　B　二酸化炭素とは高温でも反応しない。

　　C　常温（20℃）のエタノールやメタノール中では安定である。

　　D　カリウムに比べると化学反応性および水と反応して発生する熱量が大である。

　　E　空気中では常温（20℃）で酸化され，融点以上に熱すれば黄色の炎をあげて燃える。

　　F　水と激しく反応するが，パラフィン系炭化水素とは反応しない。

　(1)　1つ　　　(2)　2つ　　　(3)　3つ　　　(4)　4つ　　　(5)　5つ　　　(6)　6つ

問題45

　次の危険物の性状に照らして，水による消火方法が最も適切なものはどれか。

　　(1)　ニトロセルロース

　　(2)　ベンゼン

　　(3)　過酸化バリウム

　　(4)　アルキルアルミニウム

　　(5)　三硫化リン

第3回テストの解答

══危 険 物 に 関 す る 法 令══

解答

問題 1 **解答** (1)

解説 屋外貯蔵所において貯蔵できる危険物は，次のとおりです。

① 第2類の危険物のうち，硫黄，引火性固体（引火点が **0℃以上** のものに限る）

② 第4類危険物のうち，第1石油類（引火点が **0℃以上** のものに限る），アルコール類，第2石油類，第3石油類，第4石油類および動植物油類。以上をもとに，確認すると（屋外貯蔵所において貯蔵できる危険物には○，できない危険物には×を付けてあります），

(1) トルエンは第1石油類で引火点が0℃以上（**5℃**）で○，重油は第3石油類で○，アルコール類も○。従って，これが正解です。

(2) 硫黄は①より○，ベンゼンは第1石油類ですが引火点が0℃以下（**−10℃**）で×，二硫化炭素（特殊引火物）も②に含まれていないので，×となります。

(3) 動植物油類，ギヤー油（第4石油類）は②より○ですが，ジエチルエーテル（特殊引火物）は②に含まれていないので，×となります。

(4) 第2類危険物で貯蔵できるのは①のみであり，硫化リンや赤リンなどは×です。なお，シリンダー油（第4石油類），クレオソート油（第3石油類）は②より○となります。

(5) アセトンは第1石油類ですが，引火点が0℃以下（**−20℃**）で×，灯油（第2石油類）は②より○，引火性固体（引火点が0℃以上のもの）は①に該当するので，○となります。

なお，たとえ不燃材料であっても，屋外貯蔵所に屋根は設置不可なので注意！

問題2　**解答**　(3)

解説 まず，この危険物Aが何かを引火点や発火点の値から推定する必要があります（でないと，指定数量が求められないため）。

　ということで，引火点が13℃，発火点が363℃の水溶性危険物というと，**エタノール**ということになります（p299，巻末資料4参照）。

　アルコール類の指定数量は400ℓなので，6,000ℓをこの400ℓで割ると，6,000ℓ÷400ℓ＝**15倍**　ということになります。

問題3　**解答**　(2)

解説 予防規程を定めなければならない製造所等には，指定数量の倍数によって色々と定められていますが，この問題では指定数量に触れられていないので，<u>指定数量の倍数に関係なく</u>定めなければならない製造所等を探す，ということになります。

　従って，**移送取扱所**と**給油取扱所**の2つが正解となります。

問題4　**解答**　(4)

解説 製造所等の位置，構造又は設備を変更する場合の手続きの流れは下図のようになります。

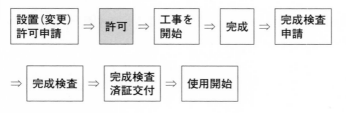

設置(変更)許可申請 ⇒ 許可 ⇒ 工事を開始 ⇒ 完成 ⇒ 完成検査申請

⇒ 完成検査 ⇒ 完成検査済証交付 ⇒ 使用開始

問題5　**解答**　(3)

解説 市町村長等からの使用停止命令と許可の取消しは，所有者等の次のような行為に対して発令されます。

＜許可の取消しまたは使用停止＞

① 位置，構造，設備を許可を受けずに変更したとき。

② 位置，構造，設備に対する修理，改造，移転などの命令に違反したとき（⇒従わなかったとき）。

③ 完成検査済証の交付前に製造所等を使用したとき。または仮使用の承認を受けないで製造所等を使用したとき。

④ 保安検査を受けないとき（政令で定める屋外タンク貯蔵所と移送取扱所に対してのみ）。

⑤ 定期点検の実施，記録の作成，および保存がなされていないとき。

＜使用停止＞

⑥ 危険物の貯蔵，取扱い基準の遵守命令に違反したとき。

⑦ 危険物保安統括管理者を選任していないとき，またはその者に「保安に関する業務」を統括管理させていないとき。

⑧ 危険物保安監督者を選任していないとき，またはその者に「保安の監督」をさせていないとき。

⑨ 危険物保安統括管理者または危険物保安監督者の解任命令に違反したとき。

以上から選択肢を確認すると，

(1) ③に該当するので，製造所等の使用停止命令又は許可の取り消しを命ずることができ，正しい。

(2) ⑤に該当するので，製造所等の使用停止命令又は許可の取り消しを命ずることができ，正しい。

(3) 危険物の取扱作業の保安に関する講習の受講命令などという命令はないので，誤りです。

(4) 次ページの〈その他の命令〉の2に該当するので，製造所等の修理，改造又は移転命令を命ずることができ，正しい。

(5) 次ページの〈その他の命令〉の1に該当するので，危険物の貯蔵及び取扱いの基準の遵守命令を命ずることができ，正しい。

＜その他の命令＞

　　市町村長等から発令される命令には，許可の取り消しや使用停止命令のほか，次のような措置命令もあります（概要）。

1．危険物の貯蔵，取扱基準遵守命令

　⇒　製造所等においてする危険物の貯蔵又は取扱いが技術上の基準に違反しているとき。

2．製造所等の修理，改造又は移転の命令

　⇒　製造所等の位置，構造及び設備が技術上の基準に違反しているとき。

3．製造所等の緊急使用停止命令

　⇒　公共の安全の維持又は災害の発生の防止のため緊急の必要があると認められたとき。

4．危険物保安統括管理者又は危険物保安監督者の解任命令

　⇒　（両者が）消防法等の規定に違反したとき，又はこれらの者にその業務を行わせることが公共の安全の維持若しくは災害の発生の防止に支障を及ぼすおそれがあると認められたとき。

5．予防規程変更命令

　⇒　火災の予防のため必要があるとき。

6．危険物施設の応急措置命令

　⇒　危険物の流出その他の事故が発生したとき。

7．移動タンク貯蔵所の応急措置命令

　⇒　（管轄する区域にある移動タンク貯蔵所について）危険物の流出その他の事故が発生したとき。

問題6　**解答**　(5)

解説 丙種危険物取扱者が取り扱える危険物は，第4類危険物のうち，**ガソリン・灯油・軽油・第3石油類（重油，潤滑油と引火点が130℃以上のもの）・第4石油類・動植物油類**のみです。

　従って，第4類危険物のすべてを取り扱えるわけではないので，誤りです。

こうして覚えよう！

丙種が取扱える危険物

塀　が　　重いよ〜　動　け！　と　ジュンが言った。

丙種　ガソリン　重油 4 石油　動植物　軽油　　　灯油　潤滑油

引火点が130℃以上

動け〜！

第3石油

ガソリン

注：第 3 石油類の引火点が
130℃以上のものはゴロ
に入っていません。

問題7　　解答　(2)

解説 (1)　受講義務が生じるのは，**指定数量以上**の危険物を貯蔵および取り扱う

製造所等で，**危険物取扱者が危険物取扱作業に従事する場合**であり，指定

数量**未満**の危険物を貯蔵，取り扱う施設ではその必要はないので，誤りです。

(2)　「危険物取扱者」が「危険物取扱作業に従事する場合」に該当するので，

正しい。

(3)　製造所等において，危険物を取り扱う全ての危険物取扱者に受講義務が

あります。

(4)　危険物保安統括管理者に選任されたことにより，講習の受講義務が生じ

るわけではないので，誤りです。

(5)　(1)でも説明しましたが，受講義務が生じるのは，**製造所等**で危険物取扱

者が危険物取扱作業に従事する場合です。

　　もし，**移動タンク貯蔵所**で指定数量以上の危険物を移送する場合である

なら，受講義務が生じますが，運搬の場合は，移動タンク貯蔵所ではなく，

一般の車両を使用するので，「製造所等（指定数量以上の危険物を貯蔵お

よび取扱う製造所，貯蔵所，取扱所）で危険物取扱者が危険物取扱作業に

従事する場合」には該当しません。よって，誤りです。

第3回

問題8　解答　(5)

解説 危険物保安監督者が行う業務は次のようになっています。

① 危険物の取扱作業の実施に際し，当該作業が貯蔵または取扱いに関する技術上の基準や予防規程に定める保安基準に適合するように，**作業者に対して必要な指示を与える**こと。

② 火災などの災害が発生した場合は，**作業者を指揮**して応急の措置を講じるとともに，直ちに消防機関等へ連絡する。

③ （危険物施設保安員を置く製造所等にあっては）**危険物施設保安員に対して必要な指示を与える**こと。

④ 火災等の災害の防止に関し，当該製造所等に隣接する製造所等その他関連する施設の**関係者との間に連絡を保つ**。

⑤ その他，危険物取扱作業の保安に関し，必要な監督業務。

　従って，(1)は③，(2)は①，(3)は②に該当するので，危険物保安監督者の業務となります。また，(4)の解任命令も正しい。

　しかし，(5)の製造所等の位置，構造又は設備の変更，その他法に定める諸手続きに関する業務は，危険物保安監督者の業務に含まれていないので，これが誤りです。

問題9　解答　(5)

解説 (1)　点検の記録は**3年間**保存する必要があるので，誤りです。

(2)　このような規定はないので，誤りです。

(3)　定期点検は，**1年に1回**実施しなければならないので，誤りです。

(4)　定期点検の結果を消防機関に報告する義務はないので，誤りです。

(5)　指定数量の倍数に関係なく定期点検を実施しなければならない製造所等は次のとおりです。

① 地下タンク貯蔵所　　　　　　② 地下タンクを有する製造所

③ **地下タンクを有する給油取扱所**　④ 地下タンクを有する一般取扱所

⑤ **移動タンク貯蔵所**　　　　　　⑥ 移送取扱所（一部例外あり）

従って,「移動タンク貯蔵所及び危険物を取り扱うタンクで地下にあるものを有する給油取扱所」は,⑤と③に該当するので,正しい。

問題10 **解答** (4)

解説 保有空地とは,火災時の消火活動や延焼防止のため製造所等の周囲に設ける空地のことをいい,いかなる物品といえどもそこに置くことはできません。その保有空地ですが,保有しなければならない旨の規定が設けられている製造所等は次の7つです。

「製造所,屋内貯蔵所,屋外貯蔵所,屋外タンク貯蔵所,一般取扱所,簡易タンク貯蔵所(屋外に設けるもの)移送取扱所(地上設置のもの)」

(1)から順に,保有空地が必要なものに○,不要なものに×を付すと,

(1) 屋内タンク貯蔵所×,屋内貯蔵所○,販売取扱所×

(2) 給油取扱所×,製造所○,簡易タンク貯蔵所(屋外に設けるもの)○

(3) 地下タンク貯蔵所×,屋内タンク貯蔵所×,製造所○

(4) 一般取扱所○,屋外貯蔵所○,屋内貯蔵所○

(5) 販売取扱所×,給油取扱所×,屋外貯蔵所○

従って,(4)が正解となります。

問題11 **解答** (4)

解説 (1) 政令第9条の21には,「配管は,その設置される条件および使用される状況に照らして**十分な強度を有するもの**とし,……」となっているので,鋼鉄製又は鋳鉄製のものでなければならない,というのは,誤りです。

(2) 配管を地下に設置する場合には,規則第13条の5より,「その上部にかかる重量が当該配管にかからないように保護すること。」となっているので,車両等が通行しない位置としなければならない,というのは誤りです。

(3) 配管を屋外の地上に設置する場合には,規則第13条の5より,「地震,風圧,地盤沈下,温度変化による伸縮等に対し安全な構造の支持物により支持すること。」となっているので,直射日光から保護するための設備,

というのは，誤りです。

(4) 政令第9条の21より，正しい。

(5) 同じく政令第9条の21より，配管の水圧試験は，最大常用圧力の5.5倍ではなく，**1.5倍以上の圧力**で行う必要があるので，誤りです。

問題12 **解答** (2)

解説 A 類を異にする危険物は，原則として同時貯蔵することはできませんが，**屋内貯蔵所**と**屋外貯蔵所**に限り，ある一定の類の危険物どうしの場合において，相互に**1m以上**の間隔を置けば，同時貯蔵ができます。

その一定の類の危険物どうしとは，次のとおりです。

① 第1類（アルカリ金属の過酸化物とその含有品を除く）と第5類

② 第1類と第6類

③ 第2類と自然発火性物品（黄リンとその含有品に限る）

④ **第2類（引火性固体）と第4類**

など（このほかにもありますが，省略します）。

従って，④の第2類の引火性固体と第4類は，相互に1m以上の間隔を置けば，同時貯蔵ができるので，「引火性固体と灯油を相互に1m離した状態で貯蔵した。」というのは，正しい。

なお，相互に1m以上の間隔をあけても**黄リン**その他水中に貯蔵する物品と**禁水性物質**とは，同一の貯蔵所に貯蔵できないので，注意してください。

B 屋外貯蔵所において，貯蔵できるのは，

・第2類の危険物のうち硫黄又は引火性固体（ただし，引火点が0℃以上のものに限る）

・第4類の危険物のうち，特殊引火物を除いたもの（**第1石油類は引火点が0℃以上のものに限る**）

従って，「引火点0℃未満の第1石油類」は「引火点が0℃以上」という条件をクリアしていないので，誤りです。

C エタノールは消防法でいう危険物であり，指定数量以上の危険物は，地下貯蔵タンクなどの製造所等で貯蔵及び取り扱う必要があるので，正しい。

D 屋内タンク貯蔵所では，原則として，「屋内タンクは，**平家建に設けられたタンク専用室**に設置すること。」となっているので，平家建以外の建築物にある屋内貯蔵タンクにガソリンを貯蔵するのは，誤りです。

E 移動タンク貯蔵所の原動機を停止させる必要があるのは，引火点が**40℃未満**の危険物を注入する場合であり，軽油は引火点が45℃以上なので，原動機を停止させる必要はなく，正しい。

従って，誤っているのは，B，Dの2つということになります。

第3回

解答

問題13 **解答** (4)

解説 指定数量以上の危険物を車両で運搬する場合には，**当該危険物に適応する消火設備を備えること**，となっており，第4種の消火設備などという限定はないので，誤りです。

なお，運搬容器ですが，原則として**密封**して収納する必要がありますが，容器内の圧力が上昇するおそれがある場合は，発生するガスが**毒性または引火性**を有する等の危険性があるときを除き，ガス抜き口を設けた運搬容器に収納することができます（下線部注意！）。

（注：(3)の「車両前後」を「運搬容器の外部」としたひっかけがあるので注意）

問題14 **解答** (5)

解説 (1) 移動タンク貯蔵所の消火設備については，「自動車用消火器のうち，粉末消火器（3.5kg以上のもの）またはその他の消火器を2個以上設けること。」となっているので，誤りです。

防波板（2000ℓ以上の場合）
間仕切り板（4000ℓ以下ごと）
標識
移動貯蔵タンク（30,000ℓ以下）
消火器（2個以上）
接地導線

＜移動タンク貯蔵所＞

＜類題＞

次の説明文の正誤を答えなさい。

「移動タンク貯蔵所に消火器を設ける場合は，自動車用消火器で充てん量が3.5kg以上のものを2個設けなければならない。」

解説_____

　　前ページの解説より，「粉末消火器（3.5kg以上のもの）または<u>その他</u><u>の消火器</u>を2個以上設けること」となっており，その他のものは「3.5kg以上のもの」という条件はないので，誤りです。　　（答）×

(2)　防護対象物の各部分から1つの消火設備に至る歩行距離については，**第4種**（大型消火器）が**30m以下**，**第5種**（小型消火器等）が**20m以下**となるように設ける必要があるので，「第4種で20m以下」というのは，誤りです。

(3)　所要単位というのは，製造所等に対してどのくらいの消火能力を有する消火設備が必要であるか，というのを定めるときに基準となる単位で，1所要単位は次のように定められています。

	外壁が耐火構造の場合	外壁が耐火構造でない場合
製造所・取扱所	延べ面積　100m²	$\times \frac{1}{2}$ （50m²）
貯蔵所	延べ面積　150m²	$\times \frac{1}{2}$ （75m²）
危険物	指定数量の10倍	

　　従って，危険物については，指定数量の**10倍**が1所要単位となっているので，100倍というのは誤りです。

(4)　消火設備は，施設の規模や危険物の種類，数量等に応じた適正なものを設ける必要があるので，誤りです。

(5)　電気設備に対する消火設備は，電気設備を設置する場所の面積**100m²**ごとに，1個以上設けることになっているので，正しい。

問題15　**解答**　(3)

解説 掲示板に表示しなければならないものは，次のとおりです。

　①　危険物の類，品名

　②　危険物の貯蔵最大数量または取扱最大数量

　③　危険物の指定数量の倍数

④　危険物保安監督者の氏名または職名

　従って，この中に含まれていないのは，Cの所有者，管理者又は占有者の氏名，Dの許可行政庁の名称及び許可番号，Fの製造所等の所在地となるので，3つが正解となります。

＝＝物理学及び化学＝＝

問題16　**解答**　(5)

解答

解説　引火性液体の燃焼は**蒸発燃焼**のみですが，固体の燃焼には，**表面燃焼**，**分解燃焼**（内部燃焼を含む），**蒸発燃焼**があります。

　問題の物質を燃焼の仕方により並べると，次のようになります。

	蒸発燃焼	表面燃焼	分解燃焼	内部燃焼
(1)	メタノール ガソリン			
(2)		アルミニウム粉	プラスチック	
(3)	硫黄		木材	
(4)		コークス		ニトロセルロース
(5)		**木炭 アルミニウム粉**		

従って，(5)が正解となります。

蒸発燃焼

表面燃焼　　分解燃焼

内部燃焼

蒸発燃焼（固体）

液体の燃焼　　　　　　　固体の燃焼

問題17 **解答** (4)

解説 燃焼が起こるためには，**酸素供給源**，**可燃物**，**点火源**の，いわゆる燃焼の三要素が必要です。

こうして覚えよう！

燃焼の三要素
燃焼を さ か て（逆手）
　　　　酸素　可燃物　点火源
にとれば消化になる。

（可燃物）
O^2
（酸素供給源）
（点火源）

　この，酸素供給源，可燃物，点火源を囲，可，点として，燃焼が起こるものには○，起こらないものには×を付して，それぞれを確認すると，

(1) 炎⇒点，硝酸メチル（第5類の可燃性液体）⇒可，空気⇒酸よって，○。

(2) 静電気の火花⇒点，二硫化炭素（第4類の引火性液体）⇒可，空気⇒酸，よって，○。

(3) 鉄粉の場合，空気中で何らかの原因で酸化熱が蓄熱すると，発火することがあるので，○。

(4) 衝撃火花は点，酸素は酸と2つの要素が揃っていますが，ヘリウム自体が不燃物なので，×となります。

(5) ナトリウムは，空気中において水（熱水）と反応して水素を発生し発火することがあるので，○。

　従って，燃焼が起こらないものは(4)のヘリウムとなります。

問題18 **解答** (3)

解説 本来なら，それぞれの反応式を作成して，理論酸素量を求めるべきなの

でしょうが，本問の場合，理論酸素量が互いに等しい組み合わせを求めればよいので，ここでは“裏ワザ”を使います。

　まず，有機化合物に限っていえば，互いの分子中のCとHおよびOの数が同じであるなら反応式も同じとなり，燃焼に要する酸素量も同じになります。

というのは，一般に，有機化合物が燃焼すると，水と二酸化炭素が生じます。

解答
第3回

　この場合，分子内の水素Hが酸素Oと結びついて水（H_2O）となり，炭素Cが酸素Oと結びついて二酸化炭素（CO_2）になります。

　従って，CとHの数が同じなら消費する酸素量も同じになりますが，自身の分子内にOがあれば，燃焼時にそれが消費されるので，その場合は，その反応時に生じた物質を除いた後のCとHの数が同じになれば燃焼に要する酸素量も同じになります。

　というわけで，順に確認すると，

(1)　水素（H_2）　　　　　　　　炭素（C）
(2)　ベンゼン（C_6H_6）　　　　　一酸化炭素（CO）
(3)　メタン（CH_4）　　　　　　　酢酸（CH_3COOH）
(4)　エタン（C_2H_6）　　　　　　アセトン（CH_3COCH_3）
(5)　亜鉛（Zn）　　　　　　　　　アルミニウム（Al）

　まず，CとHの数が同じものは見当たりません。

　そこで，分子内に酸素を含有しているものに眼をつけると，(3)が何となく，“怪しい”と感づかれたと思います。

というのは，酢酸の分子内の炭素Cが，自身の分子内にある2個の酸素（−OO−）と燃焼時に結びついて，二酸化炭素（CO_2）になるからです。

　そこで，酢酸からCO_2を除くと，CH_4となり，メタンと同じ数のCとHになります。

　従って，(3)のメタンと酢酸が燃焼時の理論酸素量が互いに等しい組み合わせ，ということになります。

　なお，異性体であるなら分子式が同じとなるので，反応式も同じ，すなわち，理論酸素量も同じになるので，もし，異性体であることがわかれば，面倒な計算などをしなくても燃焼時の理論酸素量が等しい組み合わせを求める

ことができます。

（注）　(5)のように有機化合物でない場合は，酸化数で判断します。この場合，亜鉛の酸化
　　　数は＋２，アルミニウムは＋３なので，理論酸素量は異なります。

問題19　**解答**　(4)

解説　消火剤とその主な消火効果および適応火災の表は以下の通りです。

適応火災と消火効果

消火剤		主な消火効果	適応する火災		
			普通	油	電気
水	棒状	冷却	○	×	×
	霧状		○	×	○
強化液	棒状	冷却	○	×	×
	霧状	冷却　抑制	○	○	○
泡		冷却　　　窒息	○	○	×
ハロゲン化物		抑制　窒息	×	○	○
二酸化炭素		窒息	×	○	○
粉末	リン酸塩類*1	抑制　窒息	○	○	○
	炭酸水素塩類*2	抑制　窒息	×	○	○

注：抑制効果は負触媒効果ともいいます。
＊１　リン酸アンモニウムの化学式は　$(NH_4)_3PO_4$
＊２　炭酸水素ナトリウムの化学式は　$NaHCO_3$　　　⇒　出題例あり

　　　この表からもわかるように，二酸化炭素消火剤は，主に二酸化炭素によ
る**窒息効果**（および二酸化炭素が蒸発する際の若干の冷却効果）によって消
火をする消火剤です（**泡**にも抑制効果はないので注意！）。

　　なお，水による消火効果は，表より冷却効果ですが，その他，発生する**水
蒸気**が酸素や可燃性蒸気を希釈することによる消火効果もあります（⇒出題
例あり）。

問題20 **解答** (1)

解説 (1) 最小着火エネルギーは，帯電電圧 $V = 1$ のときの放電エネルギー E の値ではなく，**可燃性蒸気を着火，爆発させることができる着火エネルギーのうちの最小値のこと**をいうので，誤りです（この値は可燃性蒸気の濃度により異なります）。

（2） 問題の式，$Q = CV$ をそのまま説明しているだけなので，正しい。

（3） 正しい。問題の式の $E = \dfrac{1}{2} QV$ の Q に，$Q = CV$ を代入すると，

$$E = \dfrac{1}{2} QV = \dfrac{1}{2} V(CV) = \dfrac{1}{2} CV^2 \quad \text{となるので，}$$

放電エネルギー E の値は，帯電電圧 V の 2 乗に比例します。

（4） (3)の式の，$E = \dfrac{1}{2} CV^2$ に，$200 \times 10^{-12} F$，$V = 1000 (= 10^3)$ V を代入すると（注：$1F = 10^6 \mu F = 10^{12} \text{pF}$），

$$E = \dfrac{1}{2} CV^2 = \dfrac{1}{2} \times 200 \times 10^{-12} \times (10^3)^2$$

$$= 100 \times 10^{-12} \times 10^6$$

$$= 1.0 \times 10^{-4} \ （\text{J}）$$

となるので，正しい。

（5） (3)の式の，$E = \dfrac{1}{2} CV^2$ より，帯電電圧 V を大きくすれば，放電エネルギー E も大きくなるので，正しい。

問題21 **解答** (5)

解説 正解は，次のようになります。

「原子は，中心にある原子核といくつかの（電子）から成り立っており，原子核はいくつかの中性子と（陽子）から成り立っている。また，原子核に

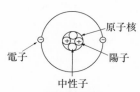

原子の構造

含まれている（陽子）の数を原子番号といい，その（陽子）の数と中性子の数の和がその原子の質量数となる。なお，同一元素であっても中性子数が異なるものどうしを（同位体）という。」

問題22 **解答** (1)

解説 まず，溶解度というのは，溶媒（この場合は水）100 g に溶けることのできる溶質の最大質量（g）のことをいいます。

そこで，その溶解度から80℃，20℃の飽和水溶液をそれぞれ表にすると，次のようになります。

	飽和水溶液
80℃	（100＋50）g
20℃	（100＋35）g
析出量	15 g

一番下の析出量15 g ですが，塩化カリウムは，同じ100 g の水でも80℃では50 g 溶けていても，20℃では35 g しか溶けないので，その80℃の飽和水溶液を20℃に冷却すると，50－35＝15 g の塩化カリウムが析出する，ということになります。

この場合，80℃の飽和水溶液は150 g ですが，問題の水溶液は120 g なので，比例関係で120 g における析出量を求めることができます。

つまり，150 g ⇒15 g

150 g ⇒15 g
120 g ⇒ x

$$150 : 15 = 120 : x$$
$$150x = 15 \times 120$$
$$= 1800$$
$$x = 12 \text{ g} \cdots\cdots となります。$$

テストの解答

第3回

解答

問題23 **解答** (3)

解説 指示薬とは，pH の変化によって色が変わる試薬で，酸と塩基の中和点のpH をこれによって知ることができます。主な指示薬には，**フェノールフタレイン**と**メチルオレンジ**があります。

変色域（色が変わる pH の範囲）は，フェノールフタレインがアルカリ側で（pH8.3～10），メチルオレンジが酸性側（pH3.1～4.4）です。

従って，次のような組み合わせになります。

① 強酸と強塩基の中和⇒両方とも使用可能

② 弱酸と強塩基の中和⇒フェノールフタレインを使用

③ 強酸と弱塩基の中和⇒メチルオレンジを使用

以上をもとに順に確認すると，

(1) 硫酸は**強酸**，水酸化ナトリウムは**強塩基**なので①となり，両方とも使用可能なので，正しい。

(2) 塩酸は**強酸**，炭酸ナトリウムは**強塩基**ですが，この炭酸ナトリウムと塩酸の反応は他の強酸，強塩基の反応とは異なり，2段階の反応となり，その2段階の反応が完了したときのpH がおよそ4の弱酸性となるので，メチルオレンジを使用します。よって，正しい。

(3) 酢酸は**弱酸**，水酸化カリウムは**強塩基**なので②となり，フェノールフタレインを使用する必要があるので，メチルオレンジでは誤りです。

(4) 硫酸は**強酸**，アンモニア水は**弱塩基**なので③となり，メチルオレンジが使用できるので，正しい。

(5) 硝酸は**強酸**，水酸化カリウムは**強塩基**なので①となり，フェノールフタレインが使用できるので，正しい。

問題24 **解答** (2)

解説 まず，電離して水素イオン（H^+）を1個生じるのを**1価の酸**，2個生じるのを**2価の酸**といい，同様に，電離して水酸化イオン（$OH)^-$を1個生じるのを**1価の塩基**，2個生じるのを**2価の塩基**といいます。

　　また，1価の酸を**一塩基酸**，2価の酸を**二塩基酸**といい，同様に，1価の塩基を**一酸塩基**，2価の塩基を**二酸塩基**といいます。

A　塩酸はHClで，電離して水素イオン（H^+）を1個生じるので，1価の酸，すなわち，**一塩基酸**となるので，正しい。

B　水酸化カルシウムは$Ca(OH)_2$で，電離して水酸化イオン（OH）$^-$を2個生じ，**二酸塩基**となるので，誤りです。

C　硝酸はHNO_3で，電離して水素イオン（H^+）を1個生じるので，**一塩基酸**となります。従って，誤りです。

D　酢酸はCH_3COOHで，電離して水素イオン（H^+）を1個生じるので，**一塩基酸**であり，正しい。

E　リン酸はH_3PO_4で，電離して水素イオン（H^+）を3個生じ，**三塩基酸**となるので，誤りです。

F　シュウ酸は$H_2C_2O_4$で，電離して水素イオン（H^+）を2個生じるので，**二塩基酸**であり，二酸塩基（2価の塩基）というのは，誤りです。

従って，正しいのは，AとDの2つとなります。

問題25　解答　(1)

解説　A　電子を放出したものが陽イオンであり，電子を受け取ったものが陰イオンで，その陽イオンと陰イオンとが静電気力によって結合したものが**イオン結合**となります。よって，正しい。

B　2個の原子が互いに価電子を共有して結合することを**共有結合**というので，正しい。

C　特定の原子に固定されない自由電子による原子間の結合を**金属結合**というので，正しい。

D　分子間に働く引力，すなわち，分子間力を**ファンデルワールス力**というので，正しい。

従って，A～Dはすべて正しいので，(1)が正解となります。

──危険物の性質並びにその火災予防及び消火の方法──

問題26　**解答**　(5)

解説 (1)　危険物には単体，化合物および混合物の3種類があり，正しい。

(2)　たとえば，同じ鉄粉であっても目開きが53μmの網ふるいを通過するものが50％未満の鉄粉であるなら危険物から除外されます。従って，正しい。

(3)　第3類危険物の禁水性物質（カリウムやナトリウムなど）が該当するので，正しい。

(4)　第5類の危険物は，多くの酸素を含み，他から酸素の供給がなくても燃焼，すなわち，**自己燃焼**するので，正しい。

(5)　引火性固体は，常温（20℃）で可燃性蒸気を発生し，引火性液体と同様の性状を示すので，分解燃焼ではなく**蒸発燃焼**をします。

問題27　**解答**　(5)

解説 第1類危険物は，そのもの自体は燃えませんが，<u>酸素を多量に含んでいて，他の物質を酸化させる性質</u>があります。従って，窒息効果が主体の消火方法，たとえば，二酸化炭素消火器等で消火しても分解によって，燃焼に必要な**酸素**を自身が供給するので，消火効果が少ないということになります。

問題28　**解答**　(2)

解説 (1)　過塩素酸ナトリウム，過塩素酸カリウムはともに第1類危険物であり，第1類危険物（第2類，第5類，第6類も）の比重は1より大きいので，正しい。

(2)　第1類危険物は，一般に水に溶けやすいですが，過塩素酸カリウムは水に溶けにくいので，誤りです。

(3)　第1類危険物と可燃物が混在すると，衝撃などにより爆発する危険性があるので，正しい。

(4)　正しい。

(5) 第1類危険物を加熱すると分解して**酸素**を発生するので，正しい。

問題29 **解答** (3)

解説 A 過酸化ナトリウム（第1類危険物）には**吸湿性**があるので，正しい。

B 第1類危険物を加熱すると，分解して水素ではなく**酸素**を発生するので，誤りです。

C 過酸化ナトリウムは，一般的に**黄白色の粉末**なので，誤りです。

D 過酸化ナトリウムは，無機過酸化物であり，注水は"厳禁"なので，誤りです。

E 正しい。

従って，誤っているのは，B，C，Dの3つとなります。

問題30 **解答** (3)

解説 （BとDが誤り）

B 三酸化クロムは，**深赤色**または**暗赤紫色**の針状の結晶です。

D 水と接触すると発熱するので，前半は正しいですが，ジエチルエーテルのほか，アルコールやアセトンなどと接触すると，爆発的に発火するので，「ジエチルエーテル中に保管する。」というのは，誤りです。

なお，三酸化クロムは，約250℃で分解し，酸素を発生します。

問題31 **解答** (4)

解説 A ニトロ化合物には，炭素原子に**ニトロ基（-NO₂）**が結合していますが，硝酸エステル類には，ニトロ基が含まれていないので，誤りです。

なお，硝酸エステル類のニトロセルロース（$C_6H_7O_2(ONO_2)_3$）やニトログリセリン（$C_3H_5(ONO_2)_3$）の分子内にも（NO_2）が含まれていますが，この場合の（NO_2）はニトロ基ではなく，$R'-ONO_2$で表される**エステル**です（R'は炭化水素を表す）。

B，C 第5類の危険物は，水より**重く**，また，一般に水には**溶けにくい**の

で，正しい。

D　ニトロ化合物および硝酸エステル類とも消火は困難なので，正しい。

E　第５類危険物の共通性状なので，正しい。

　従って，適切なものはA以外の４つということになります。

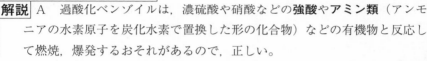

問題32　**解答**　(5)

解説 A　過酸化ベンゾイルは，濃硫酸や硝酸などの**強酸**や**アミン類**（アンモニアの水素原子を炭化水素で置換した形の化合物）などの有機物と反応して燃焼，爆発するおそれがあるので，正しい。

B　過酸化ベンゾイルは，加熱，衝撃，摩擦等のほか，**光**によっても分解され，爆発する危険性があるので，正しい。

C　過酸化ベンゾイルは，有機溶剤には溶けますが，**水には溶けない**ので，誤りです。

D　過酸化ベンゾイルは，強い**酸化性**を有しているので，正しい。

E　誤り。過酸化ベンゾイルの消火には，水系の消火剤（または乾燥砂）を用います（二酸化炭素，ハロゲン化物，粉末は不適切です。）

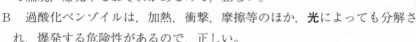

問題33　**解答**　(1)

解説 (1)　第２類危険物は，燃焼しやすい**可燃性固体**であり，一般的に燃焼速度も速いので，正しい。

(2)　固形アルコールと同じ引火性固体のゴムのりやラッカーパテなども引火性があり，また，高温（約201℃）ではありますが，硫黄にも引火性があるので，誤りです。

(3)　第２類危険物は**可燃性固体**であり，常温（20℃）で液状のものは含まれないので，誤りです。

(4)　金属粉やマグネシウムなどのように，水と反応して**水素**を発生するものもありますが，硫化リンのように，**硫化水素**を発生するものもあるので，誤りです。

(5) 第2類危険物は，**水には溶けない**ので，誤りです。

問題34 **解答** (5)

解説 (1) 誤り。硫黄の比重は**2.07**なので，水より**重い**物質で，また，**無味無臭**の物質です（腐卵臭を有しているのは硫化水素）。

(2) 誤り。エタノール，ジエチルエーテルには，わずかに溶けます。

(3) 誤り。酸には溶けません。なお，硫酸は，二酸化硫黄から三酸化硫黄（SO_3：無水硫酸）を作り，水を加えて生成します。

(4) 誤り。硫黄の融点は，**115℃**なので，80℃では溶解しません。

(5) 正しい。硫黄は電気を通さない**不良導体**です。

なお，その他の硫黄の性状で重要なものは，次のとおりです。

・硫黄が燃焼すると，**二酸化硫黄（亜硫酸ガス）**を発生する。
・微粉が空気中に浮遊していると，**粉じん爆発**の危険がある。
・主な同素体に**斜方硫黄，単斜硫黄，非晶形，ゴム状硫黄**などがある。
・貯蔵の際は，**塊状**のものは**麻袋や紙袋**に入れ，また，**粉状**のものは**二層以上のクラフト紙の袋や麻袋**などに入れて貯蔵することができる。

問題35 **解答** (3)

解説 A　正しい。赤リンの比重は**2.1～2.3**です。

B　正しい。黄リンには不快臭がありますが，赤リン（第2類危険物）は**無臭**で，かつ，**無毒**の物質です。

C　誤り。黄リンを含んだ赤リンは自然発火の危険性がありますが，純粋な赤リンは自然発火はしません。

D　誤り。赤リンは水にも二硫化炭素にも溶けません。

E　誤り。リン光を発するのは，黄リンの方です。

従って，誤っているのは，C，D，Eの3つとなります。

第3回

解答

問題36 **解答** (5)

解説 ガソリンは，自然発火することはありません（自然発火するのは，動植物油類の乾性油）。

問題37 **解答** (4)

解説 主な第4類危険物の中で，比重が1より大きいものには，次のようなものがあります。

「**二硫化炭素**，**クロロベンゼン**，ニトロベンゼン，クレオソート油，**酢酸**，**グリセリン**」

従って，設問の危険物のなかにあるのは，このうちの二硫化炭素，クロロベンゼン，酢酸，グリセリンの4つとなります。

なお，ヘキサン，メチルエチルケトンは第1石油類（メチルエチルケトンパーオキサイドは第5類の危険物なので注意！），クロロベンゼンは第2石油類，ニトロベンゼン，グリセリンは第3石油類の第4類危険物です。

問題38 **解答** (3)

解説 一般に用いられている泡消火剤は，燃焼物を泡で覆うことによる**窒息効果**と**冷却効果**により燃焼物を消火しますが，アルコール類などの水溶性の可燃性液体の火災に，この泡消火剤を使用すると，火面を覆った泡が溶けて消滅して

しまい，肝心な窒息効果を得られないので，特殊な界面活性剤などを添加して泡が溶けないようにした**水溶性液体用泡消火剤**を使用します。

問題39 **解答** (3)

解説 A 過酸化水素は**水に溶けやすく**，通常は30〜50％に希釈した水溶液であり，その際，激しく発熱することはないので，誤りです。

B 第6類危険物に共通する貯蔵，取扱い方法であり，正しい。

C　正しい。銅や普通鋼（鉄）などと接触すると，発火，爆発する危険性があります。

D　誤り。リン酸は，過酸化水素を貯蔵する際の安定剤として使用されており，接触しても分解が促進されることはありません。

E　分解して発生した**酸素**による容器の破損を防ぐため，容器は密栓せず，**通気孔**を設ける必要があるので，誤りです。

従って，誤っているのは，A，D，Eの３つとなります。

問題40　**解答**　(4)

解説　A　過塩素酸を貯蔵する際は，ガラスびんなどを使用するので，誤りです。

B　過塩素酸は強い酸化剤で自身は**不燃性物質**ですが，可燃物と接触したり，あるいは，単独でも加熱することにより爆発することがあるので，誤りです。

C　過塩素酸は，水に溶けやすい物質ですが，水に触れると音を発して発熱するので，誤りです。

D　過塩素酸は，強い**酸化性**を有し，可燃物と接触して発火したり爆発することがあるので，正しい。

E　ナトリウムは，「酸，二酸化炭素」と激しく反応して発火，爆発する危険性があるので，誤りです。

従って，誤っているのは，A，B，C，Eの４つとなります。

問題41　**解答**　(4)

解説　A　誤り。まとめて貯蔵した方が危険性が大きくなります。

B　自然発火性を有するほとんどの危険物は，空気との接触を避けて冷所に貯蔵する必要があるので，誤りです。

C　正しい。Bの説明にあるように，自然発火性の物品は**空気との接触を避**けて貯蔵する必要があります。

D　第３類の危険物にはカリウムやナトリウムなどのように，水と反応して**水素**を発生するものがありますが，酸素を発生するものはないので誤りです（酸素を発生するのは第１類危険物のアルカリ金属の過酸化物です）⇒

（p286の(3)の酸素の欄参照）。

E　誤り。禁水性物質は，湿度などの水分をさけて貯蔵する必要があるので，雨天や降雪時の詰め替えは不適切です。

　　従って，誤っているのはＡ，Ｂ，Ｄ，Ｅの４つとなります。

　　なお，その他，「保護液中に保存するものは，危険物が保護液から露出しないように貯蔵する。」なども頻出ポイントです。

問題42　**解答**　(2)

解説　A　黄リンは，淡黄色のろう状の固体で，ニラのような**不快臭**があり，また，**猛毒**があり，暗所ではリン光を発します（後半は正しい）

B　黄リンの発火点は，約30〜45℃程度なので，誤りです。

C　**弱アルカリ性**の水中で貯蔵します。なお，強アルカリ溶液とは反応し，**リン化水素**を発生します。

D　黄リンはベンゼンや**二硫化炭素**には溶けますが，**水のほかアルコールにも溶けません**。

E　黄リンが燃焼すると，白煙を生じて**無水リン酸**（十酸化四リン（P_4O_{10}），または**五酸化二リン：P_2O_5**）となるので，正しい。

（Eのみ正しい）

問題43　**解答**　(1)

解説　正解は次のようになります。

「純品は常温（20℃）で（A．無色透明）の結晶であるが，一般に流通しているものは不純物を含み灰黒色を呈していることが多い。高温では強い（B．還元）性があり，多くの酸化物を（B．還元）する。また，水と作用して発熱し，（C．アセチレン）ガスを発生して水酸化カルシウムとなる。」

　従って，(1)が正解となります。

問題44 **解答** (4)

解説 A 誤り。銀白色で光沢のある金属で，また，比重が**0.97**なので，水より**軽い**物質です。

B 誤り。ナトリウムは，**酸**や**二酸化炭素**と激しく反応して発火，爆発するおそれがあります。

C 誤り。ナトリウムは，水やエタノールやメタノールなどの**アルコール**と反応して発熱し，**水素**を発生して**発火**します。

D 誤り。化学反応性および水と反応して発生する熱量は，ナトリウムよりカリウムの方が大きいので，誤り。

E 正しい。(**黄色**の炎に注意)

F 正しい。パラフィン系炭化水素とは，メタン系炭化水素またはアルカンのことで，C_nH_{2n+2}の一般式で表される飽和炭化水素です。

$n = 1$の場合はCH_4のメタンとなるほか，ガソリンや灯油などの主成分でもあります。

ナトリウムやカリウムは，このパラフィン系炭化水素である灯油や軽油中に貯蔵するので，当然，反応はしません。

なお，**ナトリウム**やカリウムなどの**禁水性物質**は，**黄リン**とは同時貯蔵できないので，注意してください（⇒黄リンは水中貯蔵するため，水が厳禁なナトリウム等と一緒に貯蔵すると，ナトリウムがその水と反応する危険性がある）。

問題45 **解答** (1)

解説 合格大作戦その5の(9)消火方法（p289）より，

① 注水消火するもの

第1類危険物（ただし，アルカリ金属の過酸化物は除く）

第2類危険物：赤リン，硫黄

第3類危険物：黄リン

第5類危険物（ただし，アジ化ナトリウムを除く。また，消火困難なものが多い。）

第6類危険物：過塩素酸，過酸化水素，硝酸（発煙硝酸含む）

② 注水が不適当なもの（＝水と反応するもの）

第1類危険物：アルカリ金属の過酸化物

第2類危険物：硫化リン　鉄粉　アルミニウム粉　亜鉛粉　マグネシウム

第3類危険物（黄リン除く）

第4類危険物

第5類危険物：アジ化ナトリウム（火災時の熱で金属ナトリウムを生成
し，その金属ナトリウムに注水すると水素を発生するため）

第6類危険物：三フッ化臭素，五フッ化臭素，五フッ化ヨウ素

(1) ニトロセルロースは上記の①にある第5類の危険物であり，注水による
冷却効果で消火するので，これが正解です。

(2) ベンゼンは，第4類危険物の第1石油類であり，第4類危険物は上記の
②にあるので，注水は不適当です。

(3) 過酸化バリウムは，第1類のアルカリ土類金属の過酸化物であり，上記
②にあるアルカリ金属の過酸化物ほど激しく水とは反応しませんが，やは
り，注水は適切ではないので，誤りです。

(4) アルキルアルミニウムは，第3類の**禁水性物質**であり，注水は厳禁なの
で，誤りです。

(5) 三硫化リンは，第2類の危険物であり，注水すると可燃性で有毒の**硫化
水素**を発生するので，注水は不適当です。

第4回

甲種危険物取扱者

模擬テスト

第4回

危険物に関する法令

問題1

法令上，製造所等以外の場所で，指定数量以上の危険物を仮に貯蔵する場合の基準について，次のうち正しいものはどれか。

(1) 市町村条例で定める技術上の基準に従って，貯蔵しなければならない。

(2) 貯蔵する期間は，20日以内でなければならない。

(3) 貯蔵する場合は，所轄消防長又は消防署長の承認を受けなければならない。

(4) 貯蔵する危険物の量は，指定数量の倍数が10以下としなければならない。

(5) 貯蔵しようとする日の10日前までに，市町村長等に届け出なければならない。

問題2

法令上，耐火構造の隔壁で完全に区分された3室を保有する同一の屋内貯蔵所において，次に示す危険物をそれぞれの室に貯蔵する場合，この屋内貯蔵所は指定数量の何倍の危険物を貯蔵していることになるか。

第1種自己反応性物質……………………50kg

第2種可燃性固体………………………2,000kg

第3種酸化性固体………………………3,000kg

(1) 12倍　　(2) 18倍

(3) 22倍　　(4) 30倍

(5) 36倍

問題3

次の表は，製造所等の届出についてまとめたものである。表の①～③に当てはまる語句を下記の語群から選んだ場合，適切な組み合わせはどれか。

	届出が必要な場合	提出期限	届出先
1	危険物の品名，数量または指定数量の倍数を変更する時	①	市町村長等
2	製造所等の譲渡または引き渡し	②	③
3	製造所等を廃止する時	〃	〃
4	危険物保安統括管理者を選任，解任する時	〃	〃
5	危険物保安監督者を選任，解任する時	〃	〃

<語群>

- A　市町村長等
- B　所轄消防長又は消防署長
- C　変更しようとする日の10日前まで
- D　変更しようとする日の7日前まで
- E　遅滞なく

	①	②	③
⑴	E	E	B
⑵	E	D	A
⑶	C	E	A
⑷	D	C	B
⑸	C	E	B

第4回

問題

問題 4

法令上，製造所等の仮使用について，次のうち正しいものはどれか。

⑴　指定数量以上の危険物を10日以内の期間，製造所等の空地で仮に取り扱うことをいう。

⑵　製造所等の設置許可を受けてから完成検査を受けるまでの間に，仮に使用することをいう。

⑶　製造所等を全面的に変更する場合，工事が完了した部分から順に，完成検査前に仮に使用していくことをいう。

⑷　製造所等の設備等を変更する場合に，変更工事に係る部分以外の全部ま

たは一部を,市町村長等の承認を得て,完成検査前に仮に使用することをいう。

(5) 製造所等の完成検査で不備箇所があり,完成検査済証の交付を受けられなかった場合に,基準に適合している部分のみを仮に使用することをいう。

問題5

法令上,予防規程に定めなければならない事項に該当するものは,次のA〜Fの説明のうち,いくつあるか。

A 災害その他の非常の場合に取るべき措置に関すること。

B 製造所等の設備に係る申請手続きに関すること。

C 危険物の保安のための巡視,点検および検査に関すること。

D 危険物の保安に係る作業に従事する者に対する職務および組織に関すること。

E 火災発生時における給水の維持のため,水道の制水弁開閉時の措置に関すること。

F 危険物保安監督者が旅行,疾病その他の事故によって,その職務を行うことができない場合にその職務を代行する者に関すること。

(1) 1つ　　(2) 2つ　　(3) 3つ　　(4) 4つ　　(5) 5つ

問題6

法令上,製造所等と危険物取扱者の関係について,次のうち正しいものはどれか。

(1) 給油取扱所(自家用を除く。)において,危険物保安監督者が急用のため給油取扱所を離れ危険物取扱者が不在となるが,業務内容については危険物保安監督者から教育を受けているので,従業員が給油業務を行った。

(2) 指定数量の4倍の灯油を容器に詰め替える一般取扱所で,乙種第4類の危険物取扱者の代わりに丙種危険物取扱者が危険物の取扱いをした。

(3) 指定数量の20倍を貯蔵する屋内貯蔵所で,貯蔵する危険物を軽油からクメン(引火点34℃)に変更したが,法別表第1の品名が同じなので,取扱者は丙種危険物取扱者のままとした。

(4) 屋内タンク貯蔵所において,危険物保安監督者が退職したので丙種危険

物取扱者を危険物保安監督者として選任し，危険物の取扱いを継続した。

⑸　第4類の危険物であるアセトフェノン（引火点77℃で，発火点570℃）の移送のために乗車している甲種危険物取扱者の代わりに丙種危険物取扱者が移動タンク貯蔵所に乗車した。

問題 7

　法令上，免状の交付を受けている者が，免状を亡失し，滅失し，汚損し，または破損した場合の再交付の申請について，次のうち誤っているものはどれか。

⑴　当該免状を交付した都道府県知事に申請することができる。

⑵　居住地を管轄する都道府県知事に申請することができる。

⑶　当該免状の書換えをした都道府県知事に申請することができる。

⑷　汚損により免状の再交付を申請する場合は，当該免状を添えて申請しなければならない。

⑸　免状を亡失してその交付を受けた者は，亡失した免状を発見した場合は，これを10日以内に免状の再交付を受けた都道府県知事に提出しなければならない。

問題 8

　法令上，製造所等の中には特定の建築物等から，一定の距離（保安距離）を保たなければならないものがあるが，次の組み合わせのうち正しいものはどれか。ただし，特例基準が適用されるものを除く。

	建築物等	保安距離
A	使用電圧が8,000Vの特別高圧架空電線	5 m 以上
B	一般住宅	10m以上
C	高圧ガスの施設	10m以上
D	幼稚園	20m以上
E	病院	20m以上
F	重要文化財	50m以上

(1) A，C

(2) A，F

(3) B，D

(4) B，F

(5) C，E

問題9

次の製造所等のうち，定期点検を行わなければならないものはいくつあるか。

A 危険物を取り扱うタンクで地下にあるものを有する製造所

B すべての屋外タンク貯蔵所

C 指定数量の100倍の危険物を貯蔵する屋内貯蔵所

D 簡易タンクのみを有する給油取扱所

E すべての屋外貯蔵所

F 第2種販売取扱所

(1) 1つ　　(2) 2つ　　(3) 3つ　　(4) 4つ　　(5) 5つ

問題10

法令上，危険物取扱者の保安に関する講習について，次のうち正しいものはどれか。

(1) 現に製造所等において，危険物の取扱作業に従事している者は，居住地若しくは勤務地を管轄する市町村長が行う講習を受けなければならない。

(2) 製造所等において，危険物の取扱作業に従事していない者は，免状の交付を受けた日から10年に1回の免状の書換えの際に受けなければならない。

(3) 製造所等で，危険物保安監督者に選任された者は，選任後5年以内に講習を受けなければならない。

(4) 講習を受けなければならない危険物取扱者が，講習を受けなかった場合は，免状の返納を命ぜられることがある。

(5) 違反を行った危険物取扱者は，違反の内容により講習の受講を命ぜられることがある。

問題11

法令上，給油取扱所の位置，構造及び設備の技術上の基準として，次のうち正しいものはいくつあるか。ただし，特例基準を適用するものを除く。

A 給油取扱所の建築物の窓および出入り口には，原則として防火設備を設けなければならない。

B 自動車等の出入する側一方のみが開放されている屋内給油取扱所では，専用タンクの注入口を事務所等の出入口付近の見やすい位置に設けること。

C 固定給油設備（懸垂式）のホース機器は，道路境界線から2m以上，敷地境界線及び建築物の壁から3m以上の間隔を保たなければならない。

D 固定給油設備のホース機器の周囲には，自動車等に直接給油し，給油を受ける自動車等が出入りするための，間口10m以上，奥行6m以上の空地を保有しなければならない。

E 固定給油設備には先端に弁を設けた全長3m以下の給油ホースを設けなければならない。

F 固定給油設備の周囲の空地は，給油取扱所の周囲の地盤面より低くするとともに，その表面に適当な傾斜をつけ，かつ，アスファルト等で舗装しなければならない。

(1) 1つ (2) 2つ (3) 3つ (4) 4つ (5) 5つ

問題12

法令上，移動タンク貯蔵所から第4類の危険物を容器へ詰め替えることができる場合の要件として，次のうち誤っているものはどれか。

(1) 移動貯蔵タンクの容量は，4,000ℓ以下のものに限られる。

(2) 詰め替える危険物は，引火点が40℃以上のものに限られる。

(3) 容器へ詰め替える場合は，安全な注油に支障がない範囲の注油速度で行わなければならない。

(4) 詰め替える容器は，技術上の基準で定める運搬容器でなければならない。

(5) 容器への詰め替えは，注入ホースの先端部に手動開閉装置を備えた注入

ノズル（手動開閉装置を開放の状態で固定する装置を備えたものを除く。）により行わなければならない。

問題13

法令上、危険物の運搬に関する技術上の基準について、次のうち誤っているものはいくつあるか。

A　固体の危険物は、運搬容器の内容積の95％以下の収納率で運搬容器に収納しなければならない。液体の危険物は、運搬容器の内容積の98％以下の収納率であって、かつ、55℃の温度において漏れないように十分な空間容積を有して運搬容器に収納しなければならない。

B　運搬容器には、運搬による動揺で危険物が漏洩することがないように、いかなる場合でも容器を密封して収納しなければならない。

C　指定数量以上の危険物を車両で運搬する場合は、危険物取扱者の乗車が義務づけられている。

D　ガソリンを運搬する場合は、日光の直射を有効に避けることができる被覆で覆わなければならない。

E　第2類の危険物のうち、鉄粉を運搬する場合は、雨水の浸透を防ぐため、防水性の被覆で覆わなければならない。

(1)　1つ　　(2)　2つ　　(3)　3つ　　(4)　4つ　　(5)　5つ

問題14

法令上，製造所等の区分において，建築物の面積，危険物の種類，数量，性状に関係なく第5種の消火設備を2個以上設置しなければならない施設は，次のうちどれか。

(1)　屋内タンク貯蔵所
(2)　屋外タンク貯蔵所
(3)　製造所
(4)　地下タンク貯蔵所
(5)　給油取扱所

問題15

法令上、警報設備について、次のうち誤っているものはいくつあるか。

A 製造所等に設置しなければならない警報設備は、自動火災報知設備、拡声装置、赤色回転灯、消防機関に報知ができる電話、警鐘である。

B 指定数量の倍数が10以上の製造所等に設置しなければならない。

C 指定数量の倍数が100の移動タンク貯蔵所には、警報設備を設置しなければならない。

D 指定数量の倍数が100の地下タンク貯蔵所には、自動火災報知設備を設ける必要はない。

E 指定数量の倍数が10の第2種販売取扱所には、自動火災報知設備を設けなければならない。

(1) 1つ　　(2) 2つ　　(3) 3つ　　(4) 4つ　　(5) 5つ

＝物 理 学 及 び 化 学＝

問題16

有機化合物の燃焼に関する一般的な記述について，次のうち誤っているものはどれか。

(1) 蒸発または分解して生成する気体が炎をあげて燃えるものが多い。

(2) 燃焼に伴う明るい炎は，高温の水素イオンが光っているものである。

(3) 空気の量が不足すると，すすの出る量が多くなる。

(4) 分子中の炭素数が多い物質ほど，すすの出る量も多くなる。

(5) 不完全燃焼すると，一酸化炭素の発生量が多くなる。

問題17

液体の燃焼について，次のうち正しいものはどれか。

(1) 液面に点火し，燃焼が継続するときの最低の液温を燃焼点という。

(2) 燃焼速度は，液温が低いほど蒸気の比重が大きくなるので速くなる。

(3) 燃焼速度は，外圧及び酸素濃度には影響を受けず，物質によって一定で

ある。

(4) 燃焼速度は，液面を大きくすると蒸発潜熱が大きくなるので遅くなる。

(5) 燃焼は，化学反応であるので吸熱反応のこともあり得る。

問題18

次の有機化合物1 mol を空気中で完全燃焼させるために必要な理論空気量が最も少ないものはどれか。

(1) アセトアルデヒド

(2) エタノール

(3) ベンゼン

(4) ジエチルエーテル

(5) メタノール

問題19

消火に関する説明として，次のうち誤っているものはどれか。

(1) 強化液消火剤を棒状で放射すると主に冷却作用によって消火されるが，霧状にすると，冷却作用に加えて抑制作用も期待することができる。

(2) 油火災には原則として水は適応しないが，油火災に使用される泡消火剤には水が含まれている。

(3) 二酸化炭素を放射して，可燃性物質の火災を消火する時は，酸素濃度をおおむね14〜15vol%以下にする必要がある。

(4) 消火は，燃焼の3要素である可燃物，酸素供給源および点火源のうち1つを取り去っただけでは，達成できない。

(5) 炭酸水素ナトリウムを主成分とする粉末消火剤は，油火災に適応するが，建物の火災には適応しない。

問題20

静電気について，次のうち誤っているものはどれか。

(1) 静電気は固体だけでなく，液体でも発生する。

(2) 2つの異なる物質が接触して離れるときに，片方には正（＋）の電荷が，

他方には負（－）の電荷が生じる。

(3) 静電気による火災には，水による消火は絶対禁物で，一般の電気設備の火災に準じた消火方法をとらなければならない。

(4) 静電気は，導電率の低い液体が配管内を流れるときや，気体が噴出するときなどにも発生する。

(5) 静電気の蓄積を減らすには，接地する方法や周囲の湿度を上げる方法などがある。

問題21

炭素の一般的性状について，次のうち誤っているものはどれか。

(1) 有機物として全ての生物の構成材料である。

(2) 油脂の不完全燃焼で生成する油煙の主成分は炭素である。

(3) 炭素は燃焼して二酸化炭素と水を生成する。

(4) 活性炭は無定形炭素で，防毒マスクなどに用いられる。

(5) 燃料の多くは，炭素および炭素化合物である。

問題22

次の文の（ ）内のA～Dに当てはまる語句の組み合わせとして，正しいものはどれか。

「高分子化合物とは，（A）が約10,000以上の化合物をいい，構成単位となる物質を（B）という。（B）が多数結合して重合体になる反応を重合といい，付加重合と縮合重合がある。ポリエチレンは（C）が（D）した高分子化合物である。」

	A	B	C	D
(1)	質量	単量体	エチレン	縮合重合
(2)	分子量	単量体	エチレン	付加重合
(3)	分子量	重合体	エチレン	縮合重合
(4)	質量	単量体	プロピレン	縮合重合
(5)	分子量	重合体	プロピレン	付加重合

第4回

問題23

可逆反応における化学平衡に関する記述について，次のうち誤っているものはどれか。

(1) 平衡状態とは，正反応の速度と逆反応の速度が等しくなり，見かけ上反応が停止した状態である。

(2) 圧力を大きくすると，気体の総分子数が増加する方向に反応が進み，新しい平衡状態になる。

(3) ある物質の濃度を増加すると，その物質が反応して減少する方向に反応が進み，新しい平衡状態になる。

(4) 温度を高くすると，吸熱の方向に反応が進み，新しい平衡状態になる。

(5) 触媒を加えると，反応の速度は変化するが平衡そのものは移動しない。

問題24

酸化，還元を伴わない化学反応は，次のうちいくつあるか。

A $2KI + Br_2 \rightarrow 2KBr + I_2$

B $NaCl + AgNO_3 \rightarrow AgCl + NaNO_3$

C $MnO_2 + 4HCl \rightarrow MnCl_2 + Cl_2 + 2H_2O$

D $BaCl_2 + Na_2SO_4 \rightarrow BaSO_4 + 2NaCl$

E $2K_4[Fe(CN)_6] + Cl_2 \rightarrow 2K_3[Fe(CN)_6] + 2KCl$

(1) なし (2) 1つ (3) 2つ (4) 3つ (5) 4つ

問題25

有機化合物の特性について，次のA～Eのうち誤っているものはいくつあるか。

A 一般的には，成分元素の主体は炭素，水素であり，可燃性である。

B 原子間の結合の多くはイオン結合である。

C 分子式が同じでも，性質の異なる異性体が存在する。

D 一般に水に溶けにくく，メタノール，アセトンおよびジエチルエーテル等の有機溶媒に溶けるものが多い。

E 融点，沸点は，一般に無機化合物に比べて高い。

(1) 1つ　　(2) 2つ　　(3) 3つ　　(4) 4つ　　(5) 5つ

危険物の性質並びにその火災予防及び消火の方法

問題26

A欄の危険物が属する類の性質をB欄に掲げたが，この組み合わせで誤っているものはどれか。

	A　欄	B　欄
(1)	ピリジン	すべて引火性の液体である。
(2)	硝酸エチル	すべて熱的に不安定な物質である。
(3)	炭化カルシウム	すべて禁水性の物質である。
(4)	赤リン	すべて可燃性の固体である。
(5)	硝酸	すべて酸化性の液体である。

問題27

すべての第3類の危険物火災の消火方法として次のうち有効なものはどれか。

(1) 大量の水を放射する。

(2) 強化液消火剤を放射する。

(3) 泡消火剤を放射する。

(4) 乾燥砂で覆う。

(5) 二酸化炭素消火剤を放射する。

問題28

ジエチル亜鉛の性状等について，次のA～Eのうち誤っているものはいくつあるか。

　　A　空気中で容易に酸化し，発火する。

　　B　水とは激しく反応して水素を発生し，発火する。

　　C　ベンゼンやトルエン等の有機溶剤に溶ける。

　　D　無色の液体である。

E　消火の際は，粉末消火剤やハロゲン化物消火剤などを放射して消火する。

(1)　1つ　　(2)　2つ　　(3)　3つ　　(4)　4つ　　(5)　5つ

問題29

ナトリウムの保護液として適しているもののみの組み合わせとして，次のうち正しいものはどれか。

(1)　流動パラフィン，二硫化炭素
(2)　灯油，流動パラフィン
(3)　軽油，植物油
(4)　二硫化炭素，軽油
(5)　アルカリ性水溶液，灯油

問題30

第５類の危険物に共通する性状について，次のうち正しいものはどれか。

(1)　いずれも固体である。
(2)　いずれも水にはよく溶ける。
(3)　いずれも窒素または酸素を含有している。
(4)　水と接触すると発熱する。
(5)　自然発火を起こすものはない。

問題31

次の文の　（　）　内のア～エに当てはまる語句の組み合わせとして，正しいものはどれか。

「有機過酸化物を貯蔵，取り扱う際には，必ずその危険性を考慮しなければならない。というのは，有機過酸化物は一般の化合物に比べて（ア）温度で（イ）し，さらに一部のものは（ウ）により容易に分解し，爆発するおそれがあるからである。このような有機化酸化物の危険性は，（エ）の結合の弱さに起因する。」

	（ア）	（イ）	（ウ）	（エ）
(1)	高い	分解	水	－Ｏ－Ｏ－
(2)	低い	引火	衝撃，摩擦	－Ｃ－Ｏ－
(3)	高い	発火	水	－Ｏ－Ｃ－
(4)	低い	分解	衝撃，摩擦	－Ｏ－Ｏ－
(5)	高い	発火	水	－Ｃ－Ｏ－

第4回

問題

問題32

硝酸エステル類について，次のうち誤っているものはどれか。

(1) ニトログリセリンは，常温（20℃）で無色または淡黄色の油状液体である。

(2) ニトロセルロースは，日光の照射や気温が高いときなどに分解が促進されて，自然発火しやすい。

(3) ニトログリセリンを樟脳のアルコール溶液に溶かしたものがコロジオンである。

(4) 硝酸エチルは無色の液体で，その引火点は常温（20℃）より低い。

(5) ニトログリセリンは，グリセリンと硝酸のエステルであり，水にはほとんど溶けない。

問題33

第1類の危険物の貯蔵または取扱い等について、次のＡ～Ｅのうち、正しいものはいくつあるか。

 Ａ 危険物の火災には消火剤として、いずれも水を使用する。

 Ｂ 爆発するおそれがあるので容器は密栓しない。

 Ｃ 吸湿した物質は、加熱して水分を乾燥させた後に貯蔵する。

 Ｄ 金属との接触を避けて貯蔵しなければならないものがある。

 Ｅ 分解を抑制するために、保護液に保存されているものもある。

(1) 1つ (2) 2つ (3) 3つ (4) 4つ (5) 5つ

第4回

問題34

過酸化カリウムの性状について，次のうち誤っているものはどれか。

(1) 加熱すると分解して，酸素を発生する。

(2) 無色の結晶である。

(3) 空気中の湿気や水と接触すると，酸素を発生する。

(4) 酸化性である。

(5) 潮解性がある。

問題35

過酸化ナトリウムの性状について、次のうち誤っているものはどれか。

    A　白色または淡黄色の結晶で、吸湿性が強い。

    B　常温（20℃）で水と激しく反応し、酸素を発生し、また、加熱をしても酸素を発生する。

    C　酸との混合により、分解が抑制される。

    D　水には溶けるが、アルコールには溶けない。

    E　鉄やアルミニウムなどの金属を腐食させる。

    F　空気中の二酸化炭素を吸収する。

(1) AとC　　　(2) AとD　　　(3) BとC

(4) CとE　　　(5) DとF

問題36

第1類の危険物について，次のうち誤っているものはどれか。

(1) 摩擦，衝撃等により，激しく分解爆発するものがあるので注意する。

(2) 常温（20℃）において、液体のものはない。

(3) アルカリ金属の過酸化物が関係する火災には，化学泡消火剤による消火が効果的である。

(4) アルカリ金属の過酸化物以外のものが関係する火災には，注水消火が効果的である。

(5) 換気のよい冷所で貯蔵するとともに，潮解性を有する物質については特に防湿を考慮する。

問題37

　過酸化水素を貯蔵する際の安定剤として使用できるものは，次のうちいくつあるか。

「リン酸，酢酸，ピリジン，二酸化マンガン粉末，尿酸，金属粉末」

(1)　1つ　　(2)　2つ　　(3)　3つ　　(4)　4つ　　(5)　5つ

問題38

　ハロゲン間化合物の性状等について，次のうち誤っているものはどれか。

(1)　2種のハロゲンからなる化合物の総称で、一般にハロゲンの単体と似た性質を有する。

(2)　消火の際は、乾燥砂（膨張ひる石、膨張真珠岩含む）や粉末消火剤（リン酸塩類を使用するもの）を用いる。

(3)　多数のフッ素原子を含むものほど，反応性に富む。

(4)　単独では爆発しない。

(5)　可燃物とは激しく反応するが，金属とは反応しない。

問題39

　硝酸と接触すると発火または爆発の危険性のあるものとして、次のうち誤っているものはいくつあるか。

　　A　硫酸

　　B　紙、木片

　　C　アセチレン

　　D　アミン類

　　E　濃アンモニア水

　　F　無水酢酸

(1)　1つ　　(2)　2つ　　(3)　3つ　　(4)　4つ　　(5)　5つ

問題40

　第2類の危険物の性状について，次のうち誤っているものはいくつあるか。

A　空気中の水分により自然発火するものがある。

B　すべて可燃性である。

C　燃えると有害ガスを発生するものがある。

D　熱水と反応して，リン化水素を発生するものがある。

E　酸にもアルカリにも溶けて，水素を発生するものがある。

(1)　1つ　　(2)　2つ　　(3)　3つ　　(4)　4つ　　(5)　5つ

問題41

マグネシウム粉の性状について，次のA～Eのうち誤っているものはいくつあるか。

A　銀白色の軽い金属である。

B　マグネシウムの酸化皮膜は，酸化を促進する作用がある。

C　空気中に浮遊していると，粉塵爆発を起こすことがある。

D　アルカリ水溶液に溶けて水素を発生する。

E　消火に際しては，乾燥砂などで窒息消火する。

(1)　1つ　　(2)　2つ　　(3)　3つ　　(4)　4つ　　(5)　5つ

問題42

固形アルコールについて，次のうち誤っているものはいくつあるか。

A　メタノールまたはエタノールを凝固剤で固めたものである。

B　消火に粉末消火剤は不適である。

C　常温（20℃）では固体である。

D　消火に泡消火剤は有効である。

E　常温（20℃）では，可燃性蒸気は発生しない。

(1)　1つ　　(2)　2つ　　(3)　3つ　　(4)　4つ　　(5)　5つ

問題43

第4類の危険物の一般的な消火方法として，次のうち不適切なものはいくつあるか。

A　棒状注水する。

　B　二酸化炭素を放射する。

　C　霧状の強化液消火剤を放射する。

　D　消火粉末を放射する。

　E　霧状の水を放射する。

(1)　1つ　　(2)　2つ　　(3)　3つ　　(4)　4つ　　(5)　5つ

第 4 回

問題44

クロロベンゼンの性状について，次のうち誤っているものはどれか。

(1)　無色透明の液体である。

(2)　蒸気は空気よりも重い。

(3)　水より軽い。

(4)　引火点は灯油より低い。

(5)　水には溶けないがアルコールやジエチルエーテルなどには溶ける。

問題

問題45

消火方法について，次のうち適切でないものはどれか。

(1)　メタノールの火災に，水溶性液体用泡消火剤を放射する。

(2)　カリウムの火災に，乾燥砂を使用する。

(3)　キシレンの火災に，ハロゲン化物消火剤を放射する。

(4)　セルロイドの火災に，大量注水する。

(5)　ナトリウムの火災に，二酸化炭素消火剤を放射する。

第4回テストの解答

危険物に関する法令

問題1　解答　(3)

解説 原則として，製造所等以外の場所で指定数量以上の危険物を貯蔵または取り扱うことは禁止されていますが，**消防長または消防署長の承認を受ければ指定数量以上の危険物を10日以内**に限り，製造所等以外の場所で貯蔵または取り扱うことができます。

問題2　解答　(1)

解説 まず，巻末資料2の別表第1 (p292) を見てください。

　問題の物質の指定数量をそれぞれ求めると，

　　　第1種自己反応性物質（第5類）…………10kg
　　　第2種可燃性固体（第2類）………………500kg
　　　第3種酸化性固体（第1類）………………1,000kg

　従って，それぞれの貯蔵量の倍数を求めると，

　　　第1種自己反応性物質………………………… $\dfrac{50}{10} = 5$

　　　第2種可燃性固体……………………………… $\dfrac{2,000}{500} = 4$

　　　第3種酸化性固体……………………………… $\dfrac{3,000}{1,000} = 3$

　よって，指定数量の倍数の合計は，5 + 4 + 3 = 12倍　ということになります。

問題3　**解答**　(3)

解説　まず①ですが，危険物の品名，数量または指定数量の倍数を変更する時は，変更しようとする日の**10日前**までに**市町村長等**に届け出る必要があるので，Cが正解です。

　次に，製造所等の譲渡または引き渡しですが，**遅滞なく市町村長等**に届け出る必要があるので，②はE，③はAということになります。

第4回

解答

問題4　**解答**　(4)

解説　仮使用については，「変更工事に係る部分<u>以外</u>の部分」の「以外」と「市町村等」および「承認」がポイントです。

問題5　**解答**　(3)

解説　予防規程に定めなければならない事項は，巻末資料1（p291）に掲げてあるとおりで，Aから順に確認すると，A⇒9，B⇒該当事項はなし，C⇒4，D⇒該当事項はなし（Dの場合は，危険物の保安に係る作業に従事する者に対する保安教育に関すること，が正解です⇒1），E⇒該当事項はなし，F⇒2

　従って，予防規程に定めなければならない事項に該当するものは，A，C，Fの3つとなります。

問題6　**解答**　(2)

解説　(1)　従業員が給油業務を行うためには，**自身が免状を有する**か，危険物保安監督者などの**有資格者の立会い**が必要なので，誤りです。
(2)　丙種危険物取扱者は，**灯油を取り扱うことができる**ので，乙種第4類の危険物取扱者の代わりに取り扱うことができ，正しい。
(3)　(2)もそうですが，指定数量や施設名に惑わされず，ポイント部分のみをチェックする必要があります。

　　この場合，軽油は丙種でも取り扱えますが，クメンは第2石油類（非水

溶性）であり，丙種では取り扱うことができないので（第2石油類で丙種が取り扱えるのは，灯油と軽油のみ），取扱者を**甲種**か**乙種第4類危険物取扱者**に変更する必要があり，誤りです。

(4)　丙種危険物取扱者を危険物保安監督者に選任することはできないので，誤りです。

(5)　アセトフェノンは第4類危険物の第3石油類（非水溶性）ですが，丙種危険物取扱者が取り扱えるのは，第3石油類のうち，重油，潤滑油と**引火点が130℃以上のもの**に限られているので，引火点が77℃のアセトフェノンを取り扱うことはできず，誤りです。

問題7　　**解答**　(2)

解説 免状の交付を受けている者が，免状を亡失し，滅失し，汚損し，または破損した場合の再交付の申請先は，次のとおりです。

・免状を**交付した**都道府県知事

・免状の**書換えをした**都道府県知事

従って，(2)の「居住地を管轄する都道府県知事」が誤りです。

こうして覚えよう！

免状の書換えと免状の再交付の申請先

書換えの	近	況	は	最高	かぇ？
書換え	⇒勤務地	居住地		再交付	⇒書換えをした知事

なお，その他，両方に共通する**「免状を交付した知事」**も申請先に入ります。

かぇ婆ちゃん

問題8 解答 (4)

解説 特定の建築物等，つまり，保安距離を保たなければならない建築物（保安対象物という）と保安距離の組み合わせは次のようになっています。

①特別高圧架空電線

（7,000～35,000ボルト以下）……………………… 3 m 以上

（35,000ボルトを超えるもの）……………………… 5 m 以上

②住居（製造所等の敷地内にあるものを除く）……… 10m 以上

③高圧ガス等の施設………………………………… 20m 以上

④多数の人を収容する施設（学校，病院など）…… 30m 以上

⑤重要文化財等……………………………………… 50m 以上

従って，Aは①より誤りで，正しくは 3 m 以上，Bは②より正しい。

Cも誤りで，正しくは，③より20m以上。Dの幼稚園，Eの病院も④より誤りで，正しくは，30m以上。Fは⑤より正しい。

よって，正しいのはB，Fの(4)となります（注：**公民館**は④なので注意）。

こうして覚えよう！

保安距離と保安対象物

ト	ニー		さん	が （「ご」に変える）
10m	**20m**		**30m**	**50m**
↑	↑		↑	↑
過	ご（「が」に変える）	す	学校	じゅう
住む(住宅)	ガス		学校	重要

問題9 解答 (1)

解説 まず，指定数量の倍数に関係なく定期点検を実施しなければならない製造所等は次の通りです。

① 地下タンク貯蔵所

② 地下タンクを有する給油取扱所

③ 地下タンクを有する一般取扱所

④ 地下タンクを有する製造所

⑤ 移動タンク貯蔵所

⑥ 移送取扱所（一部例外あり）

次に，一定の指定数量以上で実施すべき製造所等は次のとおりです。

⑦ 製造所，一般取扱所：10倍以上，

⑧ 屋外貯蔵所：100倍以上

⑨ 屋内貯蔵所：150倍以上

⑩ 屋外タンク貯蔵所：200倍以上

　最後に，定期点検を実施する必要がない製造所等は次の3つです。

⑪ **屋内タンク貯蔵所，簡易タンク貯蔵所，販売取扱所**

以上から，問題の施設を順に確認すると（定期点検を実施する必要がない施設には×を付してあります。）

　　A　地下タンクを有する製造所⇒④

　　B　すべての屋外タンク貯蔵所⇒×。⑩より200倍以上に限られている。

　　C　指定数量の100倍の屋内貯蔵所⇒×。⑨より150倍以上のみ。

　　D　簡易タンクのみを有する給油取扱所⇒×。⑪より，簡易タンク貯蔵所は不要。

　　E　すべての屋外貯蔵所⇒×。⑧より100倍以上に限られている。

　　F　第2種販売取扱所⇒×。⑪より，販売取扱所は不要。

従って，定期点検が義務づけられているのは，Aのみになります。

問題10　**解答**　(4)

解説 (1)　講習は全国どこで受けてもよく，また講習の実施者は**都道府県知事**なので，誤りです。

(2)　製造所等において，危険物の取扱作業に従事していない者に受講義務はないので，誤りです。

(3)　危険物保安監督者の選任と受講時期は関連しないので，誤りです。

(4) 正しい。講習を受けなければならない危険物取扱者が，講習を受けなかった場合に，すぐに免状納納となるのではなく，あくまでも免状返納を命ぜられることがあるということです。なお，「使用停止命令となる」という出題例もありますが，こちらは×なので注意して下さい。

(5) 危険物取扱者が違反をしたからといって，講習の受講義務は生じないので，誤りです。

問題11　**解答**　(2)

解説　A　正しい。

B　誤り。専用タンクの注入口は，<u>事務所等の出入口付近その他避難上支障のある場所に設けてはならない</u>，となっています。

C　懸垂式の固定給油設備（ガソリンスタンドで給油する際に使用する，天井から吊り下げてあるホースがついた給油設備のことです）のホース機器は，道路境界線からは**4 m以上**，敷地境界線及び建築物の壁からは**2 m以上**の間隔を保たなければならないので，誤りです。

D　正しい。なお，「**間口10 m以上，奥行6 m以上**」は重要ポイントです！

E　固定給油設備には，先端に弁を設けた全長**5 m以下**の給油ホースを設けなければならないので，誤りです。

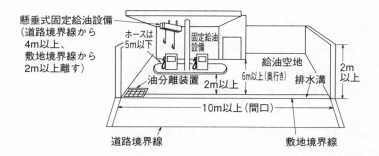

F　地盤面については，

（ア）地盤面を**周囲より高くし**，表面に傾斜をつけ（危険物や水が溜まらないようにするため），**コンクリート等**で舗装すること。

（イ）漏れた危険物等が空地以外の部分に流出しないよう，排水溝と油分離装置を設けること。

　　となっているので，問題文の「周囲の地盤面より<u>低くする</u>……」は「高くする」の誤りで，また，「アスファルト等」も「コンクリート等」の誤りです。

　　従って，正しいのは，A，Dの2つということになります。

問題12　**解答**　(1)

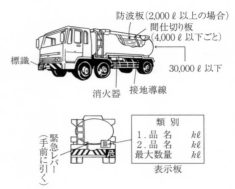

解説 4,000ℓ 以下というのは，移動貯蔵タンク（**30,000ℓ 以下**としなければならない）の内部に設けなければならない間仕切りの容量です。

防波板(2,000ℓ 以上の場合)
間仕切り板
(4,000ℓ 以下ごと)
標識
30,000ℓ 以下
消火器　接地導線

緊急レバー（手前に引く）

類　別		
1. 品　名		kℓ
2. 品　名		kℓ
最大数量		kℓ

表示板

問題13　**解答**　(3)

解説 A　正しい。なお，液体の危険物の場合は，「運搬容器の内容積の**98%以下**の収納率であって，かつ，55℃の温度において漏れないように……」となっています。

B　誤り。温度変化等で危険物からガスが発生し，容器内圧力が上昇する恐れがある場合は，ガスが**毒性**又は**引火性**を有する等の危険性があるときを除き，<u>ガス抜き口を設けた運搬容器に収納する</u>ことができます。

C　誤り。運搬の場合，危険物取扱者の乗車は不要です。

D　誤り。日光の直射を有効に避けることができる被覆で覆わなければならないのは，**第1類の危険物，第3類の危険物のうち自然発火性物品，第4類危険物のうち，特殊引火物，第5類の危険物**および**第6類の危険物**なので，第1石油類は含まれていません。

E　正しい。雨水の浸透を防ぐため，防水性の被覆で覆わなければならないのは，第1類の**アルカリ金属の過酸化物**，第2類の**鉄粉**，**金属粉**，**マグネ**

シウム，第3類の**禁水性物品**なので，鉄粉も含まれています。

（覚え方⇒**お**ー**い**，**キス** **待っ** **て**，**金** **有る**?）

　　　　覆い　　禁水性　マグネ　鉄粉　金属 アルカリ

（B，C，Dが誤り。）

問題14 **解答** (4)

解説 地下タンク貯蔵所には，建築物の面積，危険物の種類，数量，性状に関係なく**第5種の消火設備**を**2個以上**設置する必要があります。

第4回

解答

問題15 **解答** (3)

解説 A　誤り。赤色回転灯が誤りで，正しくは**非常ベル装置**です。

こうして覚えよう！

（警報の） **字** **書く** **秘** **貴** **K**
　　　　　 自　　拡　　非　　消　　警

B　正しい。

C　誤り。移動タンク貯蔵所には，指定数量の倍数にかかわらず設置する必要はありません。

D　正しい。地下タンク貯蔵所には，自動火災報知設備を設置する必要はありません。

E　誤り。自動火災報知設備を必ず設置しなければならないのは，次の5つの施設です。

「製造所，一般取扱所，屋内貯蔵所，屋外タンク貯蔵所，屋内タンク貯蔵所，給油取扱所」

従って，第2種販売取扱所には，設置する必要はありません。

よって，誤っているのは，A，C，Eの３つになります。

══ 物 理 学 及 び 化 学 ══

問題16 **解答** (2)

解説 (1)　正しい。

(2)　明るい炎は，高温の水素イオンが光っているものではなく，燃焼によって高温となった燃焼物からの**放射**によるものです。

よって，誤りです。

(3)　すすは炭素の微粒子であり，空気の量が不足すると炭素の未燃部分も多くなるので，正しい。

(4)　炭素数が多い物質ほど，燃えない炭素微粒子も多くなるので，正しい。

(5)　不完全燃焼ということは，酸素が不足状態での燃焼ということなので，二酸化炭素より酸素原子が１つ少ない一酸化炭素の発生量が多くなり，正しい。

問題17 **解答** (1)

解説 (1)　**液体の可燃物が燃焼を継続するときの最低の液温を燃焼点**というので，正しい。なお，燃焼点は，**引火後５秒間燃焼が継続する最低の温度**とされており，**引火点より数℃から数十℃程度高い**のが一般的です。

(2)　液温が低いほど蒸気が発生しにくくなるので，燃焼速度は遅くなります。

(3)　外圧が高いほど蒸気が発生しにくくなるので燃焼速度は遅くなり，また，酸素濃度も低いほど燃焼速度が遅くなるので，影響を受けない，というのは誤りです。

(4)　液面を大きくすると，それだけ空気と接触する面積が増えるので，燃焼速度は速くなります。

(5)　燃焼は，「熱と光を発生する酸化反応」，すなわち，**発熱**が条件の１つなので，窒素の酸化反応のように，吸熱反応となる場合は，燃焼とはなりません（$N_2 + O_2 = 2NO - 181kJ$）。

問題18　解答　(5)

解説　一般に，有機化合物（仮にAとする）が燃焼すると，次のような反応になります。

$$A + aO_2 \rightarrow bCO_2 + cH_2O$$

つまり，二酸化炭素と水になるわけですが，第1回の問題19（p45）でも説明しましたように，炭化水素中のHが1つで$\dfrac{1}{2}$個の酸素原子を，Cが1つで2個の酸素原子を消費しますが，自身にOがあれば，その分消費するOから差し引く必要があります。

したがって，消費するOは（Hの数$\times\dfrac{1}{2}$＋Cの数－O）となります。

つまり，$\left(\dfrac{H}{2} + 2C - O\right)$です（$O_2$のmol数はこの$\dfrac{1}{2}$になる）。

よって，(1)～(5)のうちで，このOの消費量が最も少ない物質を探せばよいわけです。

というわけで，それぞれの分子式を示し計算すると，次のようになります。

(1)　アセトアルデヒド（CH_3CHO）⇒Oは **5個**（O_2だと2.5mol）

(2)　エタノール（C_2H_5OH）⇒Oは **6個**（同3mol）

(3)　ベンゼン（C_6H_6）⇒Oは**15個**（同7.5mol）

(4)　ジエチルエーテル（$C_2H_5OC_2H_5$）⇒Oは**12個**（同6mol）

(5)　メタノール（CH_3OH）⇒Oは **3個**（同1.5mol）

従って，完全燃焼させるための理論空気量が最も少ないものは，Oの消費量が最も少ない(5)のメタノールということになります。

（注：ベンゼンとエタノール，メタノールの理論酸素量を比較する出題例があるので，注意！）

問題19　解答　(4)

解説　(1)　正しい。棒状の強化液消火剤は，主に**冷却作用**によって消火しますが，霧状の強化液消火剤は**冷却作用**と**抑制作用**によって消火します。

(2)　正しい。たとえば，化学泡消火剤は，粉末の薬剤を**水**に溶かして，内筒と外筒に充填し，使用時に両者を混ぜて反応させ，生じた二酸化炭素を含んだ泡を放射します。

(3)　空気中の酸素を，おおむね14〜15vol％以下にすると燃焼を継続することができないので，正しい。

(4)　燃焼物を消火させるには，燃焼の3要素である**可燃物，酸素供給源**および**点火源**のうち，いずれか1つを取り去ればよいので，誤りです。

(5)　正しい。リン酸アンモニウムを主成分とする粉末消火剤は，**ABC消火剤**とも呼ばれ，その名のとおり，**A火災，B火災，C火災**すべてに適応しますが，炭酸水素ナトリウムを主成分とする粉末消火剤は，**B火災とC火災**，すなわち，油火災と電気火災のみに適応し，A火災（普通火災）には適応しないので，建物火災にも適応しません。

問題20　**解答**　(3)

解説(1)　静電気は固体だけでなく，液体でも発生するので，正しい（人体や靴にも帯電する）。

(2)　正しい。

(3)　電気設備の火災には水による消火は禁物ですが（感電防止のため），火災の原因が静電気であるというだけでは，水による消火は絶対禁物ということは言えないので，誤りです（火災の種類に応じた消火方法をとればよい）。

(4)　静電気は，導電率の低い，すなわち，電気をほとんど流さない液体が配管内を流れるときや，気体が噴出するときなどにも発生するので，正しい。

(5)　正しい。静電気の蓄積を減らすには，**接地**をして大地に電気を逃がしたり，あるいは，**湿度を上げて**空気中の水分に静電気を移動させるなどの方法が有効です。なお，接地抵抗は，一般的に10^6（メグ）Ω程度以下であれば適切とされていますが，10^{12}（テラ）Ω程度だと静電気除去効果はほとんどありません（出題例あり）。

問題21 **解答** (3)

解説 (1) 正しい。

(2) 正しい。油脂の不完全燃焼で生成する油煙とは，非常に細かい**無定形炭素の黒い粉末**のことで，カーボンブラックとも呼ばれています。

(3) 炭素を含んでいる有機化合物が燃焼すれば，**二酸化炭素と水**を生成しますが，炭素が単独で完全燃焼すれば**二酸化炭素**となり，不完全燃焼すれば**一酸化炭素**となり，水は生成しないので，誤りです。

(4) 無定形炭素とは，結晶構造が不規則な炭素からなるもので，木炭または活性炭などが該当し，防毒マスクなどにも用いられているので，正しい。

(5) 石油類などの燃料の多くは，炭素および炭素化合物であり，正しい。

問題22 **解答** (2)

解説 正解は，次のようになります。

「高分子化合物とは，（分子量）が約10,000以上の化合物をいい，構成単位となる物質を（単量体）という。（単量体）が多数結合して重合体になる反応を重合といい，付加重合と縮合重合がある。ポリエチレンは（エチレン）が（付加重合）した高分子化合物である。」

一般に，化合物の分子量は，ほとんど500以下ですが，問題文のように，約10,000以上の化合物を**高分子化合物**といいます。

また，構成単位となる物質を**単量体**といい，**単量体**が多数結合した高分子化合物を**重合体（ポリマー）**といいます。

その重合には，**付加重合**と**縮合重合**がありますが，問題文の**付加重合**とは，特定の条件下でエチレンなどを反応させた場合，エチレン内の二重結合が単結合となり，自由になった1つの手を使って次々に結びついて，分子量の大きい物質を生じる反応のことをいいます。

問題23 **解答** (2)

解説 (1) 化学反応式において，左辺から右辺に進む反応を**正反応**，逆に右辺

から左辺に進む反応を**逆反応**といいます。

　また，左辺から右辺だけではなく，右辺から左辺にも進む反応を**可逆反応**といい，両者の矢印（⇄）を用いて表します。

　この場合，正反応と逆反応の速度が等しくなったとき，反応系は見かけ上，変化がないような状態，すなわち，反応が停止した状態となり，この状態を**化学平衡**といいます。よって，正しい。

(2) 平衡状態にある反応系の圧力を大きくすると，ル・シャトリエの原理より，「**その変化を打ち消す方向**」すなわち，圧力が**小さくなる**方向に平衡が移動します。圧力が小さくなる方向は，気体の総分子数が増加する方向ではなく，総分子数が**減少する**方向となるので，誤りです。

(3) 同じく，ル・シャトリエの原理より，「濃度の増加を打ち消す方向」，すなわち，その物質が反応して**減少する**方向に反応が進み，新しい平衡状態となるので，正しい。

(4) 同じく，温度を高くすると，それを打ち消す**吸熱**の方向に反応が進み，新しい平衡状態になるので，正しい。

(5) 触媒が加わると，活性化エネルギー（反応を起こさせるために必要な最小のエネルギー）が小さくなるので，反応速度が増大しますが，自身は変化せず，平衡そのものも移動しないので，正しい。なお，活性化エネルギーそのものは，温度や圧力などの外部因子には影響されないので，注意してください。

問題24 **解答** (3)

解説 酸化，還元を判別する方法に，酸化数があり，次の原則によって定めます。

① **単体**中の原子の酸化数は0とする。

　（例）　H_2，O_2，Cl_2……などの各原子の酸化数は0

② 単原子イオンの場合は**イオンの価数**が酸化数となる。

　（例）Ag^+…＋1，Mg^{2+}…＋2，Cl^-…－1，S^{2-}…－2

③ 化合物中の**水素原子の酸化数を＋1，酸素原子の酸化数を－2**とし，これを基準にして化合物中の他の原子の酸化数を求める。ただし，このとき

の化合物中の酸化数の総和は **0** とする。

　(例)・NH_3 の N の酸化数を求める場合，H の酸化数が ＋1 だから，

　　　　N＋(＋1)×3 ＝ 0　⇒　N の酸化数 ＝ － 3

　　　・CO_2 の C の酸化数を求める場合，O の酸化数が － 2 だから，

　　　　C＋(－2)×2 ＝ 0　⇒　C の酸化数 ＝ ＋ 4

　という具合に求めます。

　なお，AgCl のように，水素も酸素も含まない化合物の場合は，全てイオンにしたときのイオンの価数が酸化数になります。よって，Ag は ＋1，Cl は － 1 が酸化数となります。

④　多原子イオンでは，<u>各原子の酸化数の総和がそのイオンの価数となる</u>ように決める。

　(例)・$\underline{SO_4}{}^{2-}$…S＋(－2)×4 ＝ － 2　⇒　S ＝ ＋ 6

　　　・$\underline{NH_4}{}^{+}$…N＋(＋1)×4 ＝ ＋ 1　⇒　N ＝ － 3

⑤　化合物中のアルカリ金属は ＋1，アルカリ土類は ＋ 2 とする。

　(例)　$\underline{K}Cl$……K（アルカリ金属）の酸化数は ＋ 1

　　反応の結果，この酸化数が増加した場合が酸化となり，減少した場合が還元となります。

以上をもとに順に確認すると，

　A.　$2KI + Br_2 \rightarrow 2KBr + I_2$

　　⇒　I（ヨウ素）に注目すると，⑤より，2KI の I の酸化数は **－1**，

　　　　I_2 の酸化数は①より **0**。よって，**－1⇒0** と増加しているので，**酸化**となります。

　B.　$NaCl + AgNO_3 \rightarrow AgCl + NaNO_3$

　　⇒　Na に注目すると，**＋1⇒＋1**

　　　　また，Cl の場合は **－1⇒－1**　といずれも変化していないので，酸化，還元反応には当たりません。

　C.　$MnO_2 + 4HCl \rightarrow MnCl_2 + Cl_2 + 2H_2O$

　　⇒　Mn に注目すると，左辺は O の酸化数が － 2 だから，**＋4**。右辺は Cl の酸化数が － 1 だから ＋ 2。よって，**＋4⇒＋2** と減少している

ので，**還元**となります。

D. $BaCl_2 + Na_2SO_4 \rightarrow BaSO_4 + 2NaCl$

　⇒　Ba に注目すると，**＋2⇒＋2**　（Cl は－1，SO_4 は－2より）

　　　Na は，**＋1⇒＋1**　といずれも変化していないので，酸化，還元

　　　反応には当たりません。

E. $2K_4[Fe(CN)_6] + Cl_2 \rightarrow 2K_3[Fe(CN)_6] + 2KCl$

⇒　Cl に注目すると，**0⇒－1**と減少しているので，**還元**となります。

　従って，酸化，還元を伴わない化学反応は，B と D の２つとなります。

問題25　**解答**　(2)

解説 A　有機化合物の主な成分元素は，**炭素**や**水素**（その他，**酸素**，**窒素**など）で，**可燃性**でもあるので，正しい。

B　原子間の結合の多くは，**共有結合**によって分子を形成しているので，誤りです（溶媒に溶けた場合もイオンとはならない⇒非電解質である）。

C　分子式が同じでも，その構造が異なることによって性質の異なる異性体が多く存在するので，正しい。

D　一般に水に**溶けにくく**，メタノール，アセトンなどの**有機溶媒**に溶けるものが多いので，正しい。

E　有機化合物の融点や沸点は，一般に無機化合物に比べて**低い**ので，誤りです。

　従って，誤っているのは，B と E の２つとなります。

危険物の性質並びにその火災予防及び消火の方法

問題26　**解答**　(3)

解説(1)　ピリジンは，**第４類危険物**であり，**第４類危険物**はすべて**引火性の液体**なので，正しい。

(2)　硝酸エチルは**第５類の危険物**であり，**第５類の危険物**は加熱により発火，爆発する危険性があるので，**熱的に不安定**であり，正しい。

(3) 炭化カルシウムは**第3類の危険物**であり，**第3類の危険物**は，一般的に禁水性と自然発火性の両方の性質を有していますが，黄リンのように禁水性でない物質もあるので，「**すべて**」というのは，誤りです。

(4) 赤リンは**第2類の危険物**であり，**第2類**はすべて**可燃性の固体**なので，正しい。

(5) 硝酸は**第6類の危険物**であり，**第6類**はすべて**酸化性の液体**なので，正しい。

第4回

解答

問題27　**解答**　(4)

解説 第3類の危険物には，水（または水系）を使えない**禁水性**の物質があるので，(1)，(2)，(3)は×。

また，アルキルアルミニウムのように，二酸化炭素などの**不活性ガス**が不適な物質もあるので，(5)も×。

従って，(4)の乾燥砂が正解，ということになります。

問題28　**解答**　(2)

解説 A　ジエチル亜鉛（第3類危険物で無色透明の液体）は，空気に触れると酸化して発火するので，なお，**比重は1より大きい**ので注意。

B　水とは激しく反応しますが，水素ではなく**エタンガス**（可燃性）を発生するので，誤りです。

C　ベンゼンやトルエン等の**有機溶剤**に溶けるので，正しい。なお，**アルコール，酸**とは激しく反応します。

D　ジエチル亜鉛は無色の液体なので正しい。

E　ジエチル亜鉛の消火に粉末消火剤は有効ですが，ハロゲン化物消火剤を用いると**有毒ガス**を発生するので，使用は厳禁です。よって，誤りです。

従って，誤っているのは，B，Eの2つとなります。

問題29 **解答** (2)

解説 ナトリウムやカリウムなどは，空気中の水分と反応して発火する危険性があるので，空気との接触を避けるため，**灯油**や**軽油**，あるいは，**流動パラフィン**（石油製品の1つで，炭化水素の混合物）中で貯蔵をします。

問題30 **解答** (3)

解説 (1) ほとんどの第5類危険物は**固体**ですが，過酢酸やニトログリセリンなどのように，**液体**のものもあるので，誤りです。

(2) **アジ化ナトリウム**や**過酢酸**などのように水に溶けるものもありますが，ほとんどのものは溶けないので，誤りです。

(3) 第5類危険物は，いずれも**窒素（N）**または**酸素（O）**を含有しているので，正しい。

(4) 第5類の危険物は，水とは反応しないので，誤りです。

(5) **メチルエチルケトンパーオキサイド**や**ニトロセルロース**などのように，熱や直射日光などによって自然発火を起こすものもあるので，誤りです。

問題31 **解答** (4)

解説 分子中に酸素・酸素結合（－O－O－）を有する化合物を有機過酸化物といいますが，この有機過酸化物は，－O－O－結合が**弱い**ので，低温でも活性を示し，日光や衝撃，摩擦等により，容易に分解します。

　　従って，正解は次のようになります。

「有機過酸化物を貯蔵，取り扱う際には，必ずその危険性を考慮しなければならない。というのは，有機過酸化物は一般の化合物に比べて（ア）低い温度で（イ）分解し，さらに一部のものは（ウ）衝撃，摩擦により容易に分解し，爆発するおそれがあるからである。このような有機過酸化物の危険性は，（エ）－O－O－の結合の弱さに起因する」

問題32 **解答** (3)

解説 (1) ニトログリセリンは，常温（20℃）で**無色**または**淡黄色**の**油状液体**なので，正しい。

(2) ニトロセルロースは，自然分解しやすく，**日光の照射**や**加熱**，あるいは**気温が高いとき**などに分解が促進されて，**自然発火**しやすいので，正しい。

(3) コロジオン（ラッカーなどの原料）は，ニトログリセリンではなく，**ニトロセルロース（弱硝化綿）**を，ジエチルエーテルとエタノールの混合液に溶かしたものなので，誤りです。

(4) 硝酸エチルは無色の液体であり，引火点は**10℃**と常温（20℃）より低いので（⇒常温で引火する危険性がある），正しい。

(5) ニトログリセリンは，3価の多価アルコールであるグリセリンと硝酸の**エステル**（酸とアルコールが脱水反応して縮合したもの）であり，水にもほとんど溶けない（有機溶剤には溶ける）ので，正しい。

問題33 **解答** (1)

解説 第1類危険物の貯蔵および取扱い上の注意事項を並べると，次のようになります。

① 第1類危険物の貯蔵および取扱い上の注意事項

1. **加熱**（または**火気**），**衝撃**および**摩擦**などを避ける。

2. <u>**酸化されやすい物質**</u>および**強酸**との接触を避ける。

3. **アルカリ金属の過酸化物**およびこれらを含有するするものは，**水**との接触を避ける。

4. **潮解**しやすいものは，**湿気**に注意する。

また，共通する消火方法は，次のようになります。

② 第1類危険物の共通する消火方法

1. 原則として，**大量の水**で冷却して分解温度以下にする。

2. <u>**アルカリ金属の過酸化物**</u>は禁水なので，初期の段階で**炭酸水素塩類の粉末消火器**や**乾燥砂**などを用い，中期以降は，大量の水を周囲の可燃物

の方に注水して延焼を防ぐ。

以上より，問題を順に確認すると，

A　誤り。②の2より，注水厳禁な危険物もあります。

B　誤り。容器は**密栓**します。

C　誤り。第1類危険物を加熱すると，酸素を発生するので，加熱，衝撃，摩擦等を避けて貯蔵します。

D　正しい。亜塩素酸ナトリウム（亜塩素酸ソーダ）は，鉄や銅など，多くの金属を腐食させるので，金属との接触を避けて貯蔵する必要があります。

E　誤り。第1類危険物で，保護液を用いて保存するものはありません。

問題34　**解答**　(2)

解説(1)　第1類危険物を加熱すると，分解して**酸素**を発生するので，正しい。

(2)　過酸化カリウムは，**オレンジ色の粉末**なので，誤りです。

(3)　無機過酸化物は，水とは激しく反応して**酸素**を発生するので，正しい。

(4)　第1類危険物は**酸化性固体**であり，正しい。

(5)　第1類危険物には，この過酸化カリウムのほか，ナトリウム系（塩素酸ナトリウム，過塩素酸ナトリウム，硝酸ナトリウム，過マンガン酸ナトリウムなど）や硝酸アンモニウム，三酸化クロムなども潮解性があります。

問題35　**解答**　(4)

解説　C　過酸化ナトリウムは，酸と**反応**して過酸化水素を発生します。

E　過酸化ナトリウムは，アルミニウムは侵しますが，鉄は侵しません（CとEが誤り。）

なお，Fですが，過酸化ナトリウムは二酸化炭素を吸収して炭酸ナトリウムと酸素を発生させます。

（注：過酸化カリウムの貯蔵，取扱いも過酸化ナトリウムに準じて考えればよい）

テストの解答

問題36　解答 (3)

解説 第1類危険物の火災には，(4)のように，原則的には**注水消火**を行います
が，アルカリ金属の過酸化物等は**水と激しく反応する**ので，泡消火剤などの水
系の消火剤は厳禁です（初期の段階で**炭酸水素塩類の粉末消火器**や**乾燥砂**な
どを用い，中期以降は，大量の水を周囲の可燃物の方に注水し，延焼を防ぐ。）

第4回

解答

問題37　解答 (2)

解説 過酸化水素（第6類危険物）はきわめて不安定な物質で，常温（20℃）
でも酸素と水に分解することがあります。従って，**リン酸**や**尿酸**などの安定
剤を用いて，分解を抑制します。

問題38　解答 (5)

解説 ハロゲン間化合物（第6類危険物）は，可燃物などの**非金属**に限らず，
ほとんどの**金属**とも反応して**フッ化物**を作ります。

問題39　解答 (1)

解説 硝酸と接触すると，発火または爆発の危険性があるものを挙げると，次
のようになります。

　「二硫化炭素，アルコール，アミン類，アセチレン，ヨウ化水素，カーバ
イド（＝炭化カルシウム），硫化水素，ヒドラジン類，紙，木片など。」

　しかし，硝酸は，同じ強酸のAの**硫酸**や**塩酸**などと接触しても発火または
爆発することはありません。（Aの1つのみ）

問題40　解答 (1)

解説 A　**金属粉**や**マグネシウム**は，空気中の水分と接触して自然発火するこ
とがあるので，正しい。
　B　第2類危険物は**可燃性固体**であり，正しい。

C　硫黄が燃えると**二酸化硫黄（亜硫酸ガス）**を発生するので，正しい。

D　熱水と反応して，有毒ガスを発生するものに**三硫化リン**がありますが，その際発生するのは**硫化水素**であり，リン化水素（PH_3＝ホスフィン）ではないので，誤りです。

E　**アルミニウム粉**や**亜鉛粉**などの金属粉は，**酸**にも**アルカリ**にも溶けて**水素**を発生するので，正しい。

従って，誤っているのは，Dの1つのみということになります。

問題41　**解答**　(2)

解説　A　マグネシウム粉（第2類危険物）は**銀白色の軽い金属**なので，正しい。

B　マグネシウムの表面が酸化皮膜で覆われると，空気と接触できなくなるので，酸化は進行しなくなります。よって，誤りです。

C　**金属粉**や**硫黄**または**鉄粉**などと同様に，微粉状のものが空気中に浮遊していると，粉塵爆発を起こすことがあるので，正しい。

D　アルカリではなく**酸**に溶けて**水素**を発生するので，誤りです。

E　引火性固体を除く第2類の危険物には，**乾燥砂**による窒息消火は有効なので，正しい。

従って，誤っているのは，BとDの2つとなります。

なお，その他のマグネシウムの主な性状は次のとおりです。

・白光を放ち激しく燃焼し，**酸化マグネシウム**となる。
・**酸化剤**との混合物は，打撃などで発火することがある。
・水と反応して**水素**を発生する。
・空気中の**水分**と反応して**自然発火**することがある。

など。

問題42　**解答**　(2)

解説　A　正しい。

B，D　固形アルコールの消火には，**泡消火剤**や**粉末消火剤**および**二酸化炭素消火剤**が有効なので，Dは正しくBは誤りです。

C　第2類の危険物は可燃性**固体**なので，正しい。

E　固形アルコールは，常温（20℃）でも可燃性蒸気を発生する危険性があるので，誤りです。

従って，誤っているのは，BとEの2つとなります。

問題43　**解答**　(2)

解説 第4類危険物に不適切な消火剤は，「水」と「棒状の強化液消火剤」です。

従って，Aの棒状注水とEの霧状の水が不適切となります。

なお，Cの強化液消火剤ですが，霧状なので第4類危険物に適応します。

問題44　**解答**　(3)

解説 (1)　正しい（クロロベンゼンは，第4類危険物，第2石油類です）。

(2)　第4類危険物の蒸気は空気よりも**重い**ので，正しい。

(3)　クロロベンゼンの比重は**1.11**で，水より**重い**ので，誤りです。

(4)　クロロベンゼンの引火点は**28℃**であり，灯油の引火点（40℃以上）よりは低いので，正しい。

(5)　正しい。

問題45　**解答**　(5)

解説 (1)　適切である。メタノール（第4類危険物のアルコール類）は，水溶性液体であるので，**水溶性液体用泡消火剤（耐アルコール泡）**を放射するのは適切です。

(2)　適切である。カリウム（第3類危険物）は，**水**とは激しく反応するので，注水は厳禁であり，**乾燥砂**などで覆って窒息消火をします。

(3)　適切である。キシレンは，第4類危険物の第2石油類であり，第4類危険物の火災に，**ハロゲン化物消火剤**などの不活性ガスによる消火は有効です。

(4)　適切である。セルロイドは第5類の危険物であり，**大量の水**による冷却

効果で消火するのが有効です。

(5) 不適切である。ナトリウムは，第3類の危険物であり，**注水**はもちろん，**二酸化炭素**やハロゲン化合物，硝酸，硫酸および銅などと接触すると，発火，爆発する危険があるので，二酸化炭素消火剤を放射するのは不適切です。

第5回

甲種危険物取扱者

模擬テスト

第5回

══危 険 物 に 関 す る 法 令══

問題1

法別表第1備考にかかわる第4類の危険物について，次のうち誤っているものはどれか。

(1) 特殊引火物とは，ジエチルエーテルおよび二硫化炭素のほか，液体であって，引火点が−40℃以下のもの，または沸点が20℃以下のものをいう。

(2) 第1石油類とは，アセトンおよびガソリンのほか，液体であって引火点が21℃未満のものをいう。

(3) 第2石油類とは，灯油および軽油のほか，液体であって引火点が21℃以上70℃未満のものをいう。

(4) 第3石油類とは，重油およびクレオソート油のほか，温度20℃のとき液状であって，引火点が70℃以上200℃未満のものをいう。

(5) 第4石油類とは，ギヤー油，シリンダー油のほか，温度20℃のとき液状であって，引火点が200℃以上250℃未満のものをいう。

問題2

法令上，メタノール200ℓを貯蔵している同一の場所に，次の危険物を貯蔵した場合，指定数量以上となるものはどれか。

(1) 酸化プロピレン…………………30ℓ

(2) 酢酸エチル………………………80ℓ

(3) ベンゼン…………………………60ℓ

(4) クロロベンゼン…………………400ℓ

(5) ニトロベンゼン…………………900ℓ

問題3

法令上，免状の書換えについて，次のA〜Eのうち，誤っているもののみを掲げているものはどれか。

A 免状の写真が，撮影後10年を経過したときは，書換えを申請しなけれ

ばならない。

B　本籍地の属する都道府県に変更があったときは，書換えを申請しなけ
　　ればならない。

C　現住所に変更があったときは，書換えを申請しなければならない。

D　氏名に変更があったときは，書換えを申請しなければならない。

E　書換えの申請先は，免状を交付した都道府県知事又は居住地若しくは
　　勤務地を管轄する都道府県知事

(1)　A　　　　　(2)　C　　　　　(3)　A，C

(4)　B，E　　　(5)　D，E

問題 4

　次のA～Fの場合における手続きについて，法令上，正しい組み合わ
せはどれか。

A　屋外貯蔵所の危険物保安監督者を選任した。

B　屋外タンク貯蔵所の防油堤を改修する。

C　給油取扱所を廃止した。

D　地下タンク貯蔵所の貯蔵油種を灯油から重油に変更する。

E　簡易タンク貯蔵所を譲り受けた。

F　製造所等以外の場所に危険物を仮貯蔵する。

	許可	届出	承認
(1)	F	B，C，E	A，D
(2)	B，D	A，C	E，F
(3)	B	A，C，D，E	F
(4)	B，F	A，D	C，E
(5)	A，D	B，F	C，E

第5回

問題5

法令上，市町村長等が製造所等の許可を取り消すことができる場合として，次のうち誤っているものはどれか。

(1) 変更の許可を受けないで製造所等を使用したとき。

(2) 製造所等の位置，構造または設備に係る措置命令に違反したとき。

(3) 仮使用の承認又は完成検査を受けないで製造所等を使用したとき。

(4) 定期点検を実施しなければならない製造所等において，それを実施していなかったとき。

(5) 危険物の貯蔵，取扱い基準の遵守命令に違反したとき。

問題6

危険物の取扱作業の保安に関する講習（以下講習という。）を受けなければならない期限が過ぎている危険物取扱者は，次のうちどれか。

(1) 5年前から製造所等において危険物保安監督者に選任されている者

(2) 1年6か月前に免状の交付を受け，1年前から移動タンク貯蔵所でガソリンの取扱作業に従事している者。

(3) 5年前から製造所において塩素酸ナトリウムの取扱作業に従事しているが，2年6か月前に免状の交付を受けた者。

(4) 5年前に免状の交付を受けたが，製造所等において危険物の取扱作業に従事していない者。

(5) 1年6か月前に講習を受け，1年前から給油取扱所においてカリウムの取扱作業に従事している者。

問題7

危険物保安統括管理者について，次のうち正しいものはどれか。

(1) 危険物保安統括管理者は，甲種危険物取扱者又は乙種危険物取扱者のうちから選任されなければならない。

(2) 指定数量以上を取り扱う移送取扱所，若しくは，製造所または一般取扱所において指定数量の100倍以上の危険物を取り扱う事業所の所有者等は，危険物保安統括管理者を定めなければならない。

(3) 事業所内に複数の製造所等がある場合，それぞれの製造所等ごとに危険物保安統括管理者を選任しなければならない。

(4) 危険物保安統括管理者は，施設の維持のための定期及び臨時の点検を実施し，その結果を記録，保存しなければならない。

(5) 製造所等の所有者等は，危険物保安統括管理者を定めたとき，遅滞なく市町村長等に届け出なければならない。

問題 8

第 5 回

法令上，製造所等における地下埋設タンク等及び地下埋設配管の規則に定める漏れの点検について，次のうち正しいものはどれか。

(1) 点検は，完成検査済証の交付を受けた日または直近の漏れの点検を行った日から 5 年を超えない日までの間に 1 回以上行わなければならない。

(2) 点検の記録の保存期間は，1 年間である。

(3) 点検は，危険物取扱者または危険物施設保安員で漏洩の点検方法に関する知識及び技能を有する者が行わなければならない。

(4) 二重殻タンクの内殻についても漏れの点検を実施する必要がある。

(5) 点検を実施した場合は，その結果を消防長又は消防署長に報告しなければならない。

問題 9

製造所等で，政令で定める一定の規模以上になると，市町村長等が行う保安に関する検査の対象となるものは，次のうちどれか。

A 一般取扱所 B 製造所 C 屋外タンク貯蔵所
D 給油取扱所 E 移送取扱所

(1) A，B
(2) A，D
(3) B，D
(4) B，E
(5) C，E

第5回

問題10

　法令上，第４類の危険物を貯蔵する屋内貯蔵所（独立専用の平家建）の構造及び設備について，技術上の基準に適合していないものはいくつあるか。ただし，特例基準適用の屋内貯蔵所を除く。

　　A　屋内貯蔵所の見やすい箇所に，地を白色，文字を黒色で「屋内貯蔵所」と書かれた標識及び地を赤色，文字を白色で「火気厳禁」と書かれた掲示板が設けられている。

　　B　延焼のおそれのない外壁の窓には，網入りガラスを用いた防火設備が設けられている。

　　C　貯蔵倉庫内は，防爆構造の照明が設けてあり，又内部に滞留した可燃性の蒸気を床下に排出する設備が設けられている。

　　D　屋根は耐火構造で造られ，かつ，天井が設けてある。

　　E　容器に収納して貯蔵する危険物の温度が60℃を超えないように必要な措置を講ずること

　　F　硫黄で塊状のものは，容器に収納しないで貯蔵することができる。

(1)　1つ　　(2)　2つ　　(3)　3つ　　(4)　4つ　　(5)　5つ

問題11

　法令上，移動タンク貯蔵所における危険物の貯蔵，取扱い及び移送について，次のうち誤っているものはどれか。

(1)　危険物の移送は，移送する危険物を取り扱うことができる危険物取扱者を乗車させてこれをしなければならない。

(2)　危険物を移送するために乗車している危険物取扱者は，免状を携帯していなければならない。

(3)　危険物を移送するために乗車している危険物取扱者は，走行中に消防吏員から停止を求められれば，これに応じなければならない。

(4)　移動タンク貯蔵所には，完成検査済証及び定期点検の記録等を備え付けておかなければならない。

(5)　定期的に危険物を移送する場合は，移送経路その他必要な事項を出発地

を管轄する市町村長等に届け出なければならない。

問題12

　法令上，危険物は危険等級Ⅰ，危険等級Ⅱ及び危険等級Ⅲに区分されているが，危険等級Ⅰの危険物として，次のうち正しいものはどれか。

(1)　赤リン　　　　(2)　アセトン　　　　(3)　黄リン

(4)　エタノール　　(5)　硫黄

問題13

　法令上，次のA～Fに掲げる第5種の消火設備のうち，すべての類の危険物の消火に適応するものはいくつあるか。

　　A　霧状の強化液を噴射する消火器

　　B　泡を放射する消火器

　　C　乾燥砂

　　D　二酸化炭素を放射する消火器

　　E　リン酸塩類等の消火粉末を放射する消火器

　　F　膨張真珠岩

(1)　1つ　　(2)　2つ　　(3)　3つ　　(4)　4つ　　(5)　5つ

問題14

　法令上，屋外貯蔵タンクに危険物を注入するとき，あらかじめタンク内の空気を不活性の気体と置換しておかなければならないものは，次のうちいくつあるか。

　　A　酸化プロピレン

　　B　ジエチルエーテル

　　C　ガソリン

　　D　アセトアルデヒド

　　E　アセトン

(1)　なし　　(2)　1つ　　(3)　2つ　　(4)　3つ　　(5)　4つ

第5回

問題15

　法令上，製造所等に設置する標識及び掲示板について，次のうち正しいものはいくつあるか。

　　A　アルカリ金属の過酸化物を除く第1類の危険物を貯蔵する屋内貯蔵所には，青地に白文字で「禁水」と記した掲示板を設置する。

　　B　引火性固体を除く第2類の危険物を貯蔵する屋内貯蔵所には，赤地に白文字で「火気厳禁」と記した掲示板を設置する。

　　C　給油取扱所には，黄赤地に黒文字で「給油中エンジン停止」と記した掲示板を設置する。

　　D　製造所には，幅0.3m以上，長さ0.6m以上の黒地の板に，赤文字で製造所である旨を表示した標識を見やすい箇所に設置する。

　　E　移動タンク貯蔵所には，黒地の板に黄色の反射塗料で，「危」と記した標識を車両の前後の見やすい箇所に掲げる。

　(1)　1つ　　(2)　2つ　　(3)　3つ　　(4)　4つ　　(5)　5つ

＝＝物　理　学　及　び　化　学＝＝

問題16

物質の燃焼について，次のうち誤っているものはどれか。

(1)　固形アルコールは，主に固体から蒸発する可燃性蒸気が燃焼する。

(2)　固形のナフタリンは，主に昇華した可燃性蒸気が燃焼する。

(3)　ガソリン，軽油等は，主に加熱による沸騰で分解した気体が燃焼する。

(4)　木材，石炭等は，主に加熱により分解して発生する可燃性ガスが炎をあげて燃焼する。

(5)　木炭，コークス等は，原則として，熱分解も蒸発もしないで高温を保ちながら表面で燃焼する。

問題17

可燃物または支燃物に該当しない物質は，次のうちどれか。

(1) 一酸化炭素　　(2) メタン　　(3) 酸素　　(4) 水素　　(5) 窒素

問題18

引火点について，次のうち誤っているものはどれか。

(1) 引火点は，物質によって異なる値を示す。

(2) 引火点より低い温度では，燃焼するのに必要な濃度の可燃性蒸気は発生しない。

(3) 可燃性液体が，爆発（燃焼）下限界の濃度の蒸気を発生するときの温度を引火点という。

(4) 引火点に達すると，液体表面からの蒸発のほかに，液体内部からも気化が起こり始める。

(5) 可燃性液体の温度がその引火点より高いときは，火源により引火する危険がある。

問題19

消火剤として用いる水について，次のうち誤っているものはどれか。

(1) 水が気化して蒸気になる際に蒸発熱を奪う。

(2) 噴霧注水より棒状注水の方が，速やかに蒸発して熱を奪う。

(3) 水が蒸発する際に発生する多量の水蒸気が，空気中の酸素と可燃性ガスを希釈する作用がある。

(4) 水は，木材等の分解に必要な熱エネルギーを取り去る冷却効果が大きい。

(5) 水は流れやすく，物体へ長く付着することができないので，木材などの深部が燃焼していると冷却効果が悪い。

問題20

　石油類のように，非水溶性で導電率（電気伝導度）の小さい液体が配管中を流動すると静電気が発生する。次のＡ〜Ｅの条件のうち，特に静電気が発生しやすいものはいくつあるか。

　　Ａ　空気中の湿度が高いとき。

　　Ｂ　管の内壁における表面の粗さが少ないとき。

C　流速が大きいとき。

D　液温が低いとき。

E　流れが乱れているとき。

(1)　1つ　　(2)　2つ　　(3)　3つ　　(4)　4つ　　(5)　5つ

問題21

100℃の銅250gを10℃で1kgの水の中に入れた場合，全体の温度は何度になるか。ただし，熱の流れは銅と水の間のみで行われ，銅の比熱は0.40J／（g・K）であるとする。

(1)　11.9℃　　(2)　12.1℃　　(3)　13.0℃　　(4)　14.1℃　　(5)　15.8℃

問題22

濃度98wt%の濃硫酸がある。いま，0.1mol／ℓの硫酸水溶液1,000mℓをこの濃硫酸から作ろうとした場合，必要とする濃硫酸の量として，次のうち正しいものはどれか。ただし，H_2SO_4の分子量を98，濃硫酸の密度を2.0g／cm³とする。

(1)　0.1mℓ　　(2)　1.0mℓ　　(3)　3.0mℓ　　(4)　5.0mℓ　　(5)　9.8mℓ

問題23

亜鉛板と銅板を希硫酸中に入れ，それを導線で接続したときに起こる現象の説明として，次のうち正しいものはどれか。ただし，イオン化傾向は，$Zn>H_2>Cn$　である。

(1)　亜鉛板が溶ける。

(2)　銅板が溶ける。

(3)　銅板から酸素が発生する。

(4)　亜鉛板から水素が発生する。

(5)　亜鉛板，銅板も同時に溶ける。

問題24

次の燃焼範囲のガソリンを50ℓの空気と混合させ，その均一な混合気

体に点火したとき，A〜Eのうち，燃焼可能な蒸気量の組合せはどれか。

    燃焼下限界　　1.4vol%

    燃焼上限界　　7.6vol%

    A　1ℓ　　　　B　2ℓ　　　　C　3ℓ　　　　D　5ℓ　　　　E　10ℓ

- (1)　A
- (2)　A，B
- (3)　A，B，C
- (4)　A，B，C，D
- (5)　A，B，C，D，E

問題25

　2種の金属の板を電解液中に離して立て，金属の液外の部分を針金でつないで電池をつくろうとした。この際に，片方の金属をCuとした場合，もう一方の金属として最も大きな起電力が得られるものは，次のうちどれか。

(1)　Al　　　　(2)　Na　　　　(3)　Pb　　　　(4)　Zn　　　　(5)　Fe

＝＝危険物の性質並びにその火災予防及び消火の方法＝＝

問題26

　危険物の類ごとの性状について，次のうち誤っているものはどれか。

- (1)　第1類の危険物の多くは，無色の結晶または白色の粉末で，水に溶けるものが多い。
- (2)　第2類の危険物を酸化剤と混合すると，爆発する危険性がある。
- (3)　第3類の危険物は，常温（20℃）で液体または固体で，多くは金属または金属を含む化合物である。
- (4)　第5類の危険物は，可燃性の液体または固体で，比重は1より大きい。
- (5)　第6類の危険物の多くは，有機化合物である。

第5回

問題27

第1類の危険物の火災予防上の注意事項として，次のうち誤っているものはどれか。

(1) 強酸との接触を避ける。

(2) 窒素との接触を避ける。

(3) 酸化されやすい物質との接触を避ける。

(4) 衝撃や摩擦を避ける。

(5) 換気のよい冷所に貯蔵する。

問題28

二酸化鉛の性状について，次のうち誤っているものはいくつあるか。

A　無色の粉末である。

B　不燃性で，水によく溶ける。

C　アルコールに溶けない。

D　電気の良導体である。

E　熱分解により酸素を発生する。

(1)　1つ　　(2)　2つ　　(3)　3つ　　(4)　4つ　　(5)　5つ

問題29

重クロム酸カリウムの性状について，次のうち正しいものはどれか。

(1) 暗緑色の結晶である。

(2) 還元されやすい物質である。

(3) 水に不溶である。

(4) 苦味があり毒性は低い。

(5) 加熱により酸素を発生して燃える。

問題30

硝酸アンモニウムの性状について，次のうち誤っているものはどれか。

(1) 白色の結晶で吸湿性がある。

(2) 加熱により分解し，約210℃で有毒な一酸化二窒素を生成する。

(3) アルカリ性の物質と反応して，水素を発生する。

(4) 硫酸により分解して硝酸を遊離する。

(5) 可燃物と混合すると，加熱，衝撃，摩擦等により発火または爆発する危険がある。

問題31

常温（20℃），1気圧（1.013×10⁵Pa）において液体であり，かつ，不燃性の危険物の組合せは，次のうちどれか。

(1) 過酢酸と過塩素酸アンモニウム

(2) プロピオン酸とエチレングリコール

(3) 過ヨウ素酸とピリジン

(4) 五フッ化ヨウ素と過塩素酸

(5) トリクロロシランと硝酸エチル

問題32

ニトロセルロースの性状等について，次のうち誤っているものはどれか。

(1) 窒素含有量が多い強綿薬ほど，危険性が大きい。

(2) 火災に際しては，窒息消火による消火が効果的である。

(3) 日光の直射や加熱により，分解して自然発火の危険性がある。

(4) 乾燥状態のときは危険性が大きいので，アルコールや水等で湿らせて貯蔵する。

(5) 水やアルコールには溶けない。

問題33

アジ化ナトリウムについて，次のうち誤っているものはどれか。

(1) 火災の初期には，大量の注水が効果的である。

(2) 水に溶けやすい無色の板状結晶である。

(3) 酸により，有毒で爆発性のアジ化水素酸を発生する。

(4) 加熱すると，分解して窒素と金属ナトリウムを生じる。

(5) 水の存在により重金属と作用して，きわめて鋭敏な爆発性のアジ化物を

生じる。

問題34

亜鉛粉の性状について，次のうち誤っているものはどれか。

(1) 青味を帯びた銀白色の金属であるが，空気中では表面に酸化皮膜ができる。

(2) 空気中の湿気により自然発火することがある。

(3) ハロゲンや硫黄とは反応しない。

(4) 酸やアルカリ水溶液に溶けて，非常に燃焼しやすいガスが発生する。

(5) 空気中に浮遊すると粉じん爆発を起こすことがある。

問題35

三硫化リン（P_4S_3），五硫化リン（P_2S_5），七硫化リン（P_4S_7）に共通する性状について，次のA〜Eのうち正しいものはいくつあるか。

A 約100℃で融解する。

B 比重は1よりも小さく，三硫化リン，五硫化リン，七硫化リンの順に大きくなる。

C 淡黄色または黄色の結晶である。

D 加水分解すると有毒な可燃性ガスを発生する。

E 燃焼すると有毒な二酸化硫黄（亜硫酸ガス）を発生する。

(1) 1つ　　(2) 2つ　　(3) 3つ　　(4) 4つ　　(5) 5つ

問題36

第4類危険物に関する次の記述のうち，誤っているものはいくつあるか。

A 自動車ガソリンの蒸気比重は，約0.65〜0.75である。

B エタノール，メタノールとも，引火点は常温（20℃）よりは高い。

C 自動車ガソリンの燃焼範囲は，約1.4〜7.6vol％である。

D 自動車ガソリンの引火点は，特殊引火物の引火点よりも低い。

E メタノールの燃焼範囲は灯油の燃焼範囲よりも広い。

F 灯油と軽油の引火点および発火点は，いずれも自動車ガソリンの引火点および発火点よりも高い。

(1) 1つ　(2) 2つ　(3) 3つ　(4) 4つ　(5) 5つ

問題37

第3類の危険物の性状について，次のうち誤っているものはどれか。

(1) 常温（20℃）では，固体または液体である。

(2) 自然発火性と禁水性の両方の性質を有しているものがある。

(3) 自然発火性のものは，常温（20℃）の乾燥した窒素ガス中でも発火する
ことがある。

(4) 水と接触すると水素を発生し，発火するものがある。

(5) 保護液として炭化水素を使用するものがある。

第5回

問題

問題38

アルキルアルミニウムやアルキルリチウムと接触あるいは混合した場
合に発熱反応が起きないものは，次のうちどれか。

(1) 酸素

(2) ヘプタン

(3) 水

(4) 二酸化炭素

(5) アルコール

問題39

カリウムについて，次のうち誤っているものはいくつあるか。

A　銀白色の柔らかい金属で強い還元性を有する物質である。

B　水と激しく反応してアセチレンガスを発生する。

C　融点以上に加熱すると，黄色の炎を出して燃焼する。

D　空気との接触を避けるため，水中に貯蔵する。

E　潮解性を有し，比重は1より小さい。

(1) 1つ　(2) 2つ　(3) 3つ　(4) 4つ　(5) 5つ

問題40

「顧客に自ら給油等をさせる給油取扱所（セルフスタンド）において，給油を行おうとして自動車燃料タンクの給油口キャップを緩めた際に，噴出したガソリン蒸気に静電気放電したことにより引火して火災となった。」

このような静電気事故を防止するための給油取扱所における静電気対策として，次のうち適切でないものはどれか。

(1) 燃料タンクの給油口キャップを開放する前に，静電気除去シートなどに触れ，人体等に帯電している静電気を除去する。

(2) 給油取扱所の従業員等に対しては，絶縁性に優れた衣服および靴の着用を励行する。

(3) 地盤面に対して散水等を行い，人体等に帯電している静電気が漏えいしやすいような環境をつくる。

(4) 顧客用固定給油設備等のホース機器等の直近，その他見やすい箇所に「静電気除去」に関する事項を表示しておく。

(5) 固定給油設備等のホースやノズル等の電気の導通を良好に保つ。

問題41

泡消火剤には，水溶性液体用泡消火剤とその他の泡消火剤があるが，次に掲げる危険物の火災を消火しようとする場合，その性質から判断して，一般の泡消火剤を使用することが適切でないものはいくつあるか。

「アセトン，クレオソート油，トルエン，グリセリン，ニトロベンゼン，ピリジン，スチレン」

(1) 1つ　(2) 2つ　(3) 3つ　(4) 4つ　(5) 5つ

問題42

危険物の性状に照らして，第6類のすべての危険物の火災に対し有効な消火方法は，次のうちどれか。

(1) 棒状の水を放射する。

(2) 乾燥砂で覆う。

(3) 泡消火剤を放射する。

(4) 噴霧注水する。

(5) 二酸化炭素消火剤を放射する。

問題43

過塩素酸の貯蔵，取扱いについて，次のうち誤っているものはどれか。

(1) 火気との接触や加熱を避ける。

(2) 金属製の密閉容器に入れ，冷暗所に貯蔵する。

(3) 可燃物と離して貯蔵する。

(4) 漏出時は，アルカリ液で中和する。

(5) 変色しているものは，すみやかに廃棄する。

問題

問題44

過酸化水素の貯蔵，取扱いについて，次のうち誤っているものはどれか。

(1) 有機物や金属粉との接触を避ける。

(2) 濃度の高いものは，皮膚や粘膜を腐食するので注意する。

(3) 容器は密栓せずに，冷暗所に貯蔵する。

(4) 漏えいしたときは，大量のアルカリ水で中和する。

(5) 火気，日光の直射を避ける。

問題45

第６類の危険物の性状等について，次のうち誤っているものはどれか。

(1) 不燃性の液体である。

(2) いずれも有機化合物である。

(3) 多くは腐食性であり，皮膚を侵し，蒸気は有毒である。

(4) 酸化力が強く，有機物と混ぜると着火させることがある。

(5) 水と激しく反応し，発熱するものがある。

第5回テストの解答

＝危険物に関する法令＝

問題1 **解答** (1)

解説 特殊引火物は，引火点が－40℃以下ではなく，**－20℃以下**のもので沸点も20℃以下ではなく，**40℃以下**のものをいいます（p299，巻末資料4参照）。

問題2 **解答** (1)

解説 メタノールの指定数量は**400ℓ**なので，200ℓは指定数量の0.5倍ということになります。

　ということは，あと指定数量の0.5倍以上を貯蔵すれば，指定数量以上貯蔵しているということになります。

　従って，選択肢の中で指定数量が0.5倍以上となる危険物を探せばよいので，順に確認すると，（p293参照）

(1) 酸化プロピレン（特殊引火物）の指定数量は**50ℓ**だから，30ℓは**0.6倍**となります。

(2) 酢酸エチル（第1石油類の非水溶性）の指定数量は**200ℓ**だから，80ℓは**0.4倍**となります。

(3) ベンゼン（第1石油類の非水溶性）の指定数量は(2)に同じく**200ℓ**だから，60ℓは**0.3倍**となります。

(4) クロロベンゼン（第2石油類の非水溶性）の指定数量は**1,000ℓ**だから，400ℓは**0.4倍**となります。

(5) ニトロベンゼン（第3石油類の非水溶性）の指定数量は**2,000ℓ**だから，900ℓは**0.45倍**となります。

従って，0.5倍以上となる危険物は(1)の酸化プロピレンということになります。

テストの解答

問題3 **解答** (2)

解説 Bのように，本籍地の属する都道府県に変更があったときは，書換えを申請する必要がありますが，Cのように現住所に変更があっても書換えの必要はありません。

問題4 **解答** (3)

第5回

解答

解説 製造所等の各種届出については，次の表のようになっています。

(1) 届出が必要な場合

	届出が必要な場合	提出期限	届出先
①	危険物の**品名**，数量または指定数量の倍数を変更する時	変更しようとする日の10日前まで	
②	製造所等の**譲渡**または**引き渡し**		市町村長等
③	製造所等を**廃止**する時	遅滞なく	
④	危険物保安統括管理者を**選任**，**解任**する時		
⑤	危険物保安監督者を**選任**，**解任**する時		

(2) 許可が必要な場合

製造所等の**設置**または製造所等の位置，構造または設備を**変更**する場合

(3) 承認が必要な場合

① 仮貯蔵，仮取扱い

② 仮使用

以上を参照しながら，選択肢を確認すると，

A 屋外貯蔵所の危険物保安監督者を選任した。

⇒ (1)の⑤に該当するので，**届出**が必要です。

B 屋外タンク貯蔵所の防油堤を改修する。

⇒ (2)に該当するので，**許可**が必要です。

C 給油取扱所を廃止した。

⇒ (1)の③に該当するので，**届出**が必要です。

D 地下タンク貯蔵所の貯蔵油種を灯油から重油に変更する。

⇒　(1)の①に該当するので，**届出**が必要です。

（注：灯油から重油は，第2石油類⇒第3石油類なので「品名の変更」になりますが，たとえば，灯油から軽油は第2石油類⇒第2石油類となるので，「品名の変更」には該当しないので注意しよう！）

E　簡易タンク貯蔵所を譲り受けた。

⇒　(1)の②に該当するので，**届出**が必要です。

F　製造所等以外の場所に危険物を仮貯蔵する。

⇒　(3)の①に該当するので，**承認**が必要です。

従って，許可はB，届出はA，C，D，E，承認はFとなるので，(3)が正解となります。

問題5　解答　(5)

解説　市町村長等から製造所等の所有者等に対し，許可の取り消し（または使用停止命令）を命ぜられるのは，次の場合です。

① 位置，構造，設備を許可を受けずに変更したとき。

② 位置，構造，設備に対する修理，改造，移転などの命令に違反したとき（⇒従わなかったとき）。

③ 完成検査済証の交付前に製造所等を使用したとき。または仮使用の承認を受けないで製造所等を使用したとき。

④ 保安検査を受けないとき（政令で定める屋外タンク貯蔵所と移送取扱所に対してのみ）。

⑤ 定期点検の実施，記録の作成，および保存がなされていないとき。

これらを参照しながら選択肢を順に確認すると，

(1)　①に該当するので，許可の取り消しを命ずることができます。

(2)　②に該当するので，許可の取り消しを命ずることができます。

(3)　③に該当するので，許可の取り消しを命ずることができます。

(4)　⑤に該当するので，許可の取り消しを命ずることができます。

(5)　これは，許可の取り消しではなく，**使用の停止**を命ずることができる事由に該当するので（第1回の問題5の解説の⑥参照⇒p 38），これが正解

となります。

| 問題6 | 解答 | (1)

解説 この問題は、「製造所等において危険物の取扱作業」を「移動貯蔵タンクにおいてガソリンの取扱作業」というように、具体的な製造所等の名前や具体的な危険物の名前を使って出題されていますが、それらに惑わされないよう、「**製造所等において危険物の取扱作業**」というように読み換えて対処してください。

(1) 5年前に従事開始なら、「**従事開始から1年以内**」という受講期限からは過ぎており、また、その2年前に免状が交付されていたなら、「その交付日以後における最初の4月1日から3年以内」という受講期限からも過ぎていることになります。

解答

(2) 取扱作業に従事し始めた1年前に戻ると、その前2年以内に免状が交付されているので、「**交付日以後における最初の4月1日から3年以内**」という受講期限内になります。

(3) この問題のように、危険物取扱作業に従事していて、あとから免状の交付を受けた場合は、「**免状交付日以後における最初の4月1日から3年以内**」に受講する必要があります(過去2年以内に免状交付と考える)。

　　従って、2年6か月前からカウントすると、受講期限内ということになります。

(4) 危険物の取扱作業に従事していない者に受講義務はありません。

(5) 「**講習を受けた日以後における最初の4月1日から3年以内**」に受講する必要があるので、まだ、受講期限内ということになります。

直後から取扱作業に従事⇒　過去2年以内に**免状の交付**か**講習を受けた者に該当する**

問題7 解答 (5)

解説 (1) **事業所を統括管理できる者**であればよく，資格は特に必要とされていないので，誤りです。

(2) 指定数量以上を取り扱う移送取扱所，というのは正しいですが，製造所または一般取扱所の指定数量の倍数は100倍以上ではなく，**3,000倍以上**なので，誤りです。

(3) 事業所内に複数の製造所等がある場合，危険物保安監督者や危険物施設保安員はそれぞれの**製造所等**ごとに選任する必要がありますが，危険物保安統括管理者は事業所全体を統括管理するので，**事業所ごとに選任すれば**よく，誤りです。

(4) 施設の維持のための定期及び臨時の点検を実施し，その結果を記録，保存しなければならないのは，**危険物施設保安員**であり，危険物保安統括管理者の業務は，(3)にある通り**事業所全体を総括管理する**のがその業務なので，誤りです。

(5) 危険物保安監督者と危険物保安統括管理者を定めたときは，**遅滞なく市町村長等に届け出なければならない**ので，正しい。

問題8 解答 (3)

解説 (1) 点検は，原則，前回の漏れの点検を行った日からは**1年を超えない日までの間に1回以上**行わなければなりませんが，完成検査済証の交付を受けた日から15年以内は**3年**に1回以上でよいので，誤りです。

(2) 点検の記録の保存期間は**3年間**です。なお，移動貯蔵タンクの漏れの点検の場合は，**10年間**なので注意して下さい。

(3) 正しい（地下貯蔵タンクと移動貯蔵タンクの漏れの点検も同様です）。

(4) 二重殻タンクの「強化プラスチック製の外殻」については，**3年**に1回実施する必要がありますが，内殻については規定されていないので，誤りです。

(5) 点検の報告義務はないので，誤りです。

　　なお，この点検については，**地下貯蔵タンク，地下埋設配管の危険物に**

テストの解答

接する全ての部分について必要とされています。

問題9　解答 (5)

解説 規模の大きい**屋外タンク貯蔵所**と**移送取扱所**は，設備の不具合などによって事故が発生すると，その社会的影響が大きいので，市町村長等が行う保安検査を定期または臨時に受ける必要があります。

第5回

問題10　解答 (3)

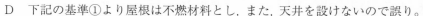

解説 C　危政令第10条の屋内貯蔵所より，「引火点が70度未満の危険物の貯蔵倉庫にあっては，内部に滞留した可燃性の蒸気を**屋根上**に排出する設備を設けること。」となっているので，「可燃性の蒸気を<u>床下に</u>」が誤り。

D　下記の基準①より屋根は不燃材料とし，また，天井を設けないので誤り。

E　下記の基準の②より，危険物の温度は**55℃**を超えないようにする必要があります。（C，D，Eの3つが誤り。）

なお，屋内貯蔵所のその他の主な基準は次の通りです。

① （原則として）貯蔵倉庫は，屋根を**不燃材料**で造るとともに，金属板その他の軽量な**不燃材料**でふき，かつ，**天井を設けないこと**。

② 容器に収納した危険物の温度は，**55℃**を超えないようにすること。

③ 容器の積み重ね高さは**3m以下**とすること（一部例外あり）。

④ その他：床面積は1,000m²以下とし，軒高（のきだか；地盤面から軒までの高さ）は**6m未満**とすること。

⑤ 貯蔵倉庫の窓および出入口には，**防火設備**を設けるとともに，延焼のおそれのある外壁に設ける出入口には，随時開ける

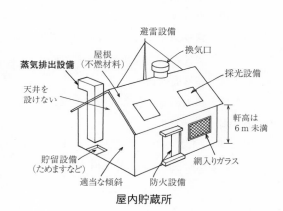

屋内貯蔵所

解答

ことができる自動閉鎖の**特定防火設備**を設けること。…など。

問題11 **解答** (5)

解説(1) なお，移送する危険物が無い場合は，当然，危険物取扱者の乗車は不要なので，「移動タンク貯蔵所には，危険物積載の有無にかかわらず危険物取扱者が乗車しなければならない。」は×になります。

(4) 移動タンク貯蔵所には，**完成検査済証**，**定期点検の記録**のほか，**譲渡引渡しの届出書**，（品名や数量などの）**変更届出書**等を備え付けておかなければならないので，正しい。

(5) このような規定はないので，誤りです。

なお，移送経路その他必要な事項を記載した書面を**関係消防機関**（問題文では出発地を管轄する市町村長等になっているので注意！）に送付しなければならないのは，**アルキルアルミニウム**等を移送する場合です。

問題12 **解答** (3)

解説危険物はその危険性の度合いに応じて，危険等級Ⅰ，危険等級Ⅱ及び危険等級Ⅲに区分されており，そのうち，危険等級Ⅰの危険物には次のようなものがあります（注：主なものです）。

第1類　第1種酸化性固体の性状を有するもの

第3類　カリウム，ナトリウム，アルキルアルミニウム，アルキルリチウム，**黄リン**並びに令別表第三備考第六号の第一種自然発火性物質及び禁水性物質の性状を有するもの

第4類　特殊引火物

第5類　第1種自己反応性物質の性状を有するもの

第6類　すべて

従って，(3)の黄リンが危険等級Ⅰに該当することになります。

（その他は，すべて危険等級Ⅱ）

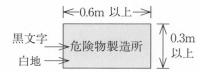

問題13 　解答　(2)

解説 すべての類の危険物の消火に適応するものは，**乾燥砂等**になります。この乾燥砂等には，**膨張ひる石**や**膨張真珠岩**も含まれているので，Cの乾燥砂とFの膨張真珠岩の2つになります。

　なお，Eのリン酸塩類等の消火粉末を放射する消火器ですが，火災の種類に対しては，A火災，B火災，C火災の**すべての火災**に適応する消火剤ですが，危険物に対しては，すべての類（1～6類）には適応しません。

第5回

問題14 　解答　(3)

解説 貯蔵タンク（屋内貯蔵タンク，屋外貯蔵タンク，移動貯蔵タンクなど）に注入する際，あらかじめタンク内の空気を**不活性の気体**と置換しておく必要がある危険物は，「アルキルアルミニウム・アルキルリチウム・**アセトアルデヒド・酸化プロピレン**」などです。

　従って，Aの酸化プロピレン，Dのアセトアルデヒドの2つが該当することになります。

問題15 　解答　(2)　(A，B，Dが誤り。)

解説 A 「アルカリ金属の過酸化物を除く」が誤り。除くではなく，**第1類のアルカリ金属の過酸化物と第3類の禁水性物質とアルキルアルミニウム，アルキルリチウム**には，**青地**に**白文字**で「**禁水**」と記した掲示板を設置する必要があります。

B 第2類は「火気注意」なので，誤りです（赤地に白文字は正しい）。

D 板の地の色は**白**で，文字は**黒色**です。なお，標識については，次のようになっています。

　　幅（図では縦方向）：**0.3m以上**
　　長さ　　　　　：**0.6m以上**
　　地の色　　　　：**白色**
　　文字の色：**黒色**

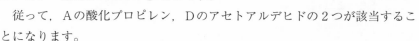

═══物 理 学 及 び 化 学═══

問題16 解答 (3)

解説 (1) 固形アルコールの燃焼は，固体ではありますが，引火性液体のように表面から蒸発する可燃性蒸気が燃焼する**蒸発燃焼**なので，正しい。

(2) 固形のナフタリンの燃焼も可燃性蒸気が燃焼する**蒸発燃焼**なので，正しい。

(3) ガソリン，軽油等の引火性液体の燃焼は，(1)に同じく，表面から蒸発する可燃性蒸気が燃焼する**蒸発燃焼**なので，誤りです。

(4) 木材，石炭等の燃焼は，加熱による分解によって発生した可燃性ガスが燃焼する**分解燃焼**なので，正しい。

(5) 木炭，コークス等の燃焼は，原則として，熱分解も蒸発もしないで高温を保ちながら表面で燃焼する**表面燃焼**なので，正しい。

問題17 解答 (5)

解説 支燃物というのは，いわゆる**酸素供給源**のことで，一般的には空気（その約21%が酸素）のことをさします。

ということで，(3)の**酸素**がこれに該当します。

また，(1)の一酸化炭素（$CO + \frac{1}{2}O_2 \rightarrow CO_2$ と燃えて二酸化炭素になる），(2)のメタン（CH_4），(4)の水素（H_2）はいずれも**可燃物**ですが，(5)の窒素（N_2）は，可燃物でも支燃物でもない，常温（20℃）において不燃性で不活性の気体なので，これが正解となります。

問題18 解答 (4)

解説 (1) 正しい。ただし，**物質固有の値**ではなく，測定方法などにより数値が変わります。

(2) 正しい。引火点より低い温度でも，液面からは蒸気が蒸発していますが，ただ，その濃度が燃焼するのに必要な濃度に達していないだけです。

(3) 正しい。

(4) 液体内部からも気化が起こり始めるときの液体の温度は沸点であるので，誤りです。

(5) 正しい。可燃性液体の温度がその引火点より高いときに，マッチなどの火源を近づけると引火する危険があるので，正しい。

問題19 **解答** (2)

解説 (1) 正しい。水が気化（蒸発）して蒸気になる際には，燃焼物から大量の**蒸発熱**を奪うので，**冷却効果**も大きくなります。

(2) 噴霧注水の方が，水が燃焼物と接する表面積が多くなり，棒状注水より速やかに蒸発して熱を奪うので，誤りです。

(3) 正しい。

(4) 正しい。水は，**冷却効果**が大きいので，木材等の分解に必要な熱エネルギーを取り去る効果も大きくなります。

(5) 正しい。水は安価でいたる所にあり，比熱や蒸発熱が大きいので冷却効果も大きいのですが，物体へ長く付着することができないので，木材などの深部が燃焼しているような場合には冷却効果が悪くなります。

第5回

問題20　解答 (2)

解説 A. 空気中の湿度が高いと，静電気が生じても空気中の水分に移動するので，発生しにくくなります。

B. 管の内壁における表面の粗さが少ないと，摩擦も少なくなるので，静電気は発生しにくくなります。

C. 流速が大きいと，摩擦の度合いが大きくなるので，発生**しやすく**なります。

D. 液温が低いからといって静電気は発生しやすくはなりません。

E. 流れが乱れていれば摩擦の度合いが大きくなるので，静電気が発生**しやすく**なります。

　従って，特に静電気が発生しやすいものは，CとEの2つということになります。

問題21　解答 (2)

解説 まず，熱量を求める際の基本式「$Q = mc \triangle t$」を思い出します。

　（Q：熱量，m：質量，c：比熱，$\triangle t$：温度差）

　ここで，熱の流れは銅と水の間のみで行われているので，エネルギー保存の法則が成立します。つまり，「銅が水に与えた熱量＝水が銅から得た熱量」となります。

　銅を入れた後の全体の温度が一定の温度となった時の温度を t とし，銅が水に与えた熱量，すなわち，銅から水に流れ出た熱量を Qc とすると，

$$Qc = mc \triangle t = 250 \times 0.40 \times (100 - t)$$
$$= 100 \times (100 - t)$$

　一方，水は10℃から t℃まで上昇したのだから，その際に水が得た熱量を Qw とすると，水の比熱は約4.19 J/(g·K) より，

$$Qw = mc \triangle t = 1{,}000 \times 4.19 \times (t - 10)$$
$$= 4{,}190 \times (t - 10)$$

　ここで，「銅が水に与えた熱量＝水が銅から得た熱量」だから，$Qc = Qw$

よって，

$$100 \times (100 - t) = 4,190 \times (t - 10)$$
$$100 - t = 41.90 \times (t - 10)$$
$$= 41.90t - 419$$
$$519 = 42.90t$$
$$t = 12.098 \cdots\cdots$$
$$\fallingdotseq 12.1℃ \quad となります。$$

解答

問題22 **解答** (4)

解説 濃度が0.1mol／ℓの硫酸水溶液1,000mℓ（＝1ℓ）を作るということだから，その硫酸水溶液中には，1ℓ×0.1mol／ℓ＝0.1molの硫酸があればよい，ということになります。

硫酸1molの分子量は98gだから，その0.1molは，9.8gになります。

9.8gの硫酸があればよいので，＊濃度98wt％の濃硫酸が，$\dfrac{9.8}{0.98} = 10g$あればよいことになります（濃度98wt％ということは，溶液100g中，硫酸が98gあるということになります。本問の硫酸はその10分の1の9.8gなので，溶液も10分の1の**10g**あればよいことになります。比例式で解く場合は，硫酸が9.8gの場合に必要な溶液をxとすれば$100 : 98 = x : 9.8$という式が導きだされ，これを解くことにより，$x = 10g$となるわけです）。

解答は，質量gではなく体積mℓを求めているので，濃硫酸10gをmℓに変換する必要があります。

濃硫酸の密度は2.0g／cm³なので，逆にすると，$\dfrac{1}{2}$cm³／gすなわち，

1gあたり0.5cm³となり，濃硫酸10gだと，0.5×10＝5cm³となります。

cm³＝mℓなので，必要な濃硫酸の量は5mℓということになります。

＊濃度
正確にいうと，質量パーセント濃度または質量百分率（重量百分率）のことで，単位は％の代わりに本問のようにwt％を使う場合があります。

第5回

問題23 **解答** (1)

解説 本問はボルタ電池の問題で，亜鉛と銅では，**亜鉛**の方がイオン化傾向が大きいので，Ｚｎが**Ｚｎ＋２ｅ⁻**となって**水溶液中に溶け出し**，２ｅ⁻が亜鉛板から導線を伝わって銅板に移動し，希硫酸中のＨ⁺イオンと結びついて**銅板から水素Ｈ₂が発生**します（電子が亜鉛 ⇒ 銅なので，電流は銅 ⇒亜鉛となり，亜鉛が陰極）。

問題24 **解答** (3)

解説

$$混合気の容量\% = \frac{蒸気量〔\ell〕}{混合ガス全体〔\ell〕} \times 100$$

を求め，その値が1.4vol％〜7.6vol％の範囲内にあれば燃焼可能ということになります。

A $\dfrac{1}{50+1} \times 100 ≒ 1.96\%$ ⇒ 燃焼可能

B $\dfrac{2}{50+2} \times 100 ≒ 3.85\%$ ⇒ 燃焼可能

C $\dfrac{3}{50+3} \times 100 ≒ 5.66\%$ ⇒ 燃焼可能

D $\dfrac{5}{50+5} \times 100 ≒ 9.09\%$ ⇒ 燃焼不可

E $\dfrac{10}{50+10} \times 100 ≒ 16.66\%$ ⇒ 燃焼不可

問題25 **解答** (2)

解説 イオン化傾向の異なる金属を電解液中に入れて導線でつなぐと，イオン化傾向の大きい金属が電子を放出してイオンとなって溶液中に溶けだし，その電子が導線を伝わってイオン化傾向の小さい方の金属に移動します。

つまり，電池を形成するわけで，**電流**はイオン化傾向の**小さい**金属から**大きい**金属へと流れます。

その際，両者の**イオン化傾向の差が大きいほど，起電力も大きくなります**。

従って，銅とのイオン化傾向の差が最も大きいものを選べばよいわけで，下記のイオン化傾向より，Naが最も銅とのイオン化傾向の差が大きい金属，ということになります。

$\underline{K} > \underline{Ca} > \underline{Na} > Mg > \underline{Al} > \underline{Zn} > \underline{Fe} > Ni > Sn > \underline{Pb} > (H_2) > \mathbf{Cu} > Hg > Ag > Pt > Au$

なお，イオン化傾向の最も大きいリチウムを用いたのが**リチウムイオン（二次）電池**で（⇒携帯等に使用），Li^+となることで電子を放出して**酸化される**ので（⇒相手は**還元**），リチウムが**陰極**となります。なお，主な電池を起電力の大きい順に並べると，リチウムイオン電池（3.5V前後）＞鉛蓄電池（2V）＞マンガン乾電池（1.5V）＞ニッケルカドミウム蓄電池とアルカリ蓄電池（1.2V）

危険物の性質並びにその火災予防及び消火の方法

問題26 **解答** (5)

解説 第6類の危険物は，第1類の危険物と同じく**無機化合物**です（一般的に有機化合物であるのは，**第4類**と**第5類**の危険物です（ただし，第5類の**アジ化ナトリウム**は無機化合物です。）

なお，(1)については，「いずれも水によく溶ける。」という問題の場合は，×になります（第1類のすべてが水に溶けるわけではない）。

なお，一般的に有機化合物であるのは，第4類と第5類の危険物です（ただし，第5類のアジ化ナトリウムは無機化合物です）。

問題27 **解答** (2)

解説 第1類危険物の貯蔵および取扱い上の注意事項は，次のようになります。

1. **加熱**（または**火気**），**衝撃**および**摩擦**などを避ける。

2. 酸化されやすい物質および**強酸**との接触を避ける。

3. アルカリ金属の過酸化物およびこれらを含有するするものは，水との接

触を避ける。

4. **潮解**しやすいものは，**湿気**に注意する。

従って，2のように，**酸化されやすい物質**や**強酸**との接触を避ける必要がありますが，不燃性で不活性物質である窒素とは，特に避ける必要はないので，(2)が誤りです。

問題28 **解答** (2)

解説 A　誤り。暗褐色の粉末です。

B　誤り。第1類は不燃性ですが，二酸化鉛は，水には溶けません。

C　正しい。アルコール（エタノール）には溶けません。

D　正しい。

E　正しい。第1類危険物の共通性状です。

問題29 **解答** (2)

解説 (1)　重クロム酸カリウム（第1類危険物）は，暗緑色ではなく**橙赤色の結晶**なので，誤りです。

(2)　第1類危険物は酸化性物質であり，相手を酸化させる性質があります。たとえば，相手に酸素を与えるということは，自身の酸素は放出するので，**自身は還元されやすい物質**ということになります。

よって，正しい。

(3)　重クロム酸カリウムは，アルコールには溶けませんが，**水には溶ける**ので，誤りです。

(4)　苦味があるというのは正しいですが，毒性は**強い**ので，誤りです。

(5)　第1類危険物は加熱により酸素を発生しますが，（原則として）**不燃性**なので，自身が単独で燃えることはありません。

問題30 **解答** (3)

解説 (1)　硝酸アンモニウム（第1類危険物）は，**白色の結晶**で**吸湿性**がある

ので，正しい。

(2) 正しい。

(3) 硝酸アンモニウムはアルカリ性の物質と反応して，水素ではなく有毒な**アンモニウム**を発生するので，誤りです。

(4)(5) 正しい。

問題31　**解答**　(4)

解説 まず，不燃性ということで，一部の第3類を除けば，第1類か第6類の危険物が該当することになります。

(1) 過酢酸（第5類）は可燃性の液体，過塩素酸アンモニウム（第1類）は不燃性の液体。

(2) プロピオン酸（第2石油類）は可燃性の液体，エチレングリコール（第3石油類）も可燃性の液体。

(3) 過ヨウ素酸（第1類）は不燃性ですが酸化性<u>固体</u>なので×。
ピリジン（第1石油類）は可燃性の液体。

(4) 五フッ化ヨウ素（第6類のハロゲン間化合物）は不燃性の液体。過塩素酸（第6類）も不燃性の液体なので，これが正解です。

(5) トリクロロシラン（第3類）は可燃性の液体，硝酸エチル（第5類）は可燃性の液体です。

問題32　**解答**　(2)

解説 (1) 窒素含有量，すなわち，**硝化度**が大きい強綿薬ほど，爆発する危険性が大きくなるので，正しい。

(2) ニトロセルロースは第5類の危険物であり，第5類の危険物は**自身に酸素を含有している**ので，窒息消火は効果がなく，誤りです。

(3) ニトロセルロースは分解しやすく，**日光の直射**や**加熱**により分解して**自然発火**することがあるので，正しい。

第5回

問題33 **解答** (1)

解説 選択肢(5)にあるように，アジ化ナトリウム（第5類危険物）は水の存在により**重金属と作用して，きわめて鋭敏な爆発性のアジ化物を生じる**ので，注水は厳禁です。

問題34 **解答** (3)

解説 (1) 亜鉛粉（第2類危険物）は，**青味を帯びた銀白色**の金属で，空気中では表面に**酸化皮膜**ができるので，正しい。

(2) **アルミニウム粉**や**亜鉛粉**または**マグネシウム**などは，空気中の水分と反応して**自然発火**することがあるので，正しい。

(3) **アルミニウム粉**や**亜鉛粉**は，(2)の**水分**のほか，**ハロゲン**とも反応して**自然発火**をし，また，**亜鉛粉**は**硫黄**とも高温で反応して**硫化亜鉛**を生じるので，誤りです。

(4) 正しい。なお，燃焼しやすいガスとは**水素**のことです。

(5) **赤リン，硫黄，鉄粉，アルミニウム粉，亜鉛粉**は粉じん爆発を起こすことがあるので，正しい。

問題35 **解答** (3)（各硫化リンは水との反応等を除いて，性質は原則同じ）

解説 A 誤り。三硫化リンの融点は**173℃**，五硫化リンの融点は**290℃**，七硫化リンの融点は**310℃**なので，約100℃では融解しません。

B 誤り。比重は，三硫化リンが**2.03**，五硫化リンが**2.09**，七硫化リンが**2.19**なので，いずれも比重は2以上です（大きさの順は正しい）。

C 正しい。

D 正しい。加水分解すると，有毒な**硫化水素**を発生します。

E 正しい。

従って，正しいのは，C，D，Eの3つになります。

なお，三硫化リンは**熱水**と，五硫化リンは**冷水**と，七硫化リンは**熱水，冷水**双方と反応して**硫化水素**を発生する，というポイントは重要です。

テストの解答

テストの解答

問題36　解答　(4)

解説 A. 約0.65〜0.75というのは，自動車ガソリンの**液**比重であり，**蒸気**比重は，約**3〜4**（空気の3〜4倍の重さ）なので，誤りです。

B. エタノールの引火点は**13℃**，メタノールの引火点は**11℃**で，いずれも常温（20℃）より**低い**ので，誤りです。

C. 自動車ガソリンの燃焼範囲は，約**1.4〜7.6vol%**であり，正しい。

第5回

解答

こうして覚えよう！

ガソリンの物性値

ガソリンさんは　始終　石になろうとしていた

　30（0）　　 40　　1.4〜7.6

　（発火点）（引火点）（燃焼範囲）

D. 自動車ガソリンの引火点は**−40℃以下**で，二硫化炭素（−30℃）などの特殊引火物よりは低いですが，**−45℃**というきわめて低い引火点を有する**ジエチルエーテル**よりは高いので，誤りです。

E. メタノールの燃焼範囲は，**6.0〜36.0vol%**であり，灯油の燃焼範囲（**1.1〜6.0vol%**）よりも広いので，正しい。

F. 灯油，軽油，自動車ガソリンの引火点および発火点は，次のような値になります。

	引火点	発火点
灯油	40℃	220℃
軽油	45℃	220℃
自動車ガソリン	−40℃	300℃

　従って，灯油，軽油の引火点については，自動車ガソリンより高いですが，発火点については，逆に低くなっているので，誤りです。

　従って，誤っているのは，A，B，D，Fの4つとなります。

問題37 **解答** (3)

解説 (2) ほとんどの第3類危険物は，**自然発火性**と**禁水性**の両方の性質を有しているので，正しい。

(3) 窒素ガスは**不活性**で**不燃性**のガスであり，その窒素ガス中では自然発火性の性状を有している危険物であっても発火することはないので，誤りです。

(4) 第3類の危険物は，「**水と接触して可燃性ガスを発生するものが多く**」，そのうち，水と接触して**水素**を発生する危険物には，次のようなものがあります。

「カリウム，ナトリウム，リチウム，バリウム，カルシウム，水素化ナトリウム，水素化リチウム」

(5) カリウムやナトリウムおよびリチウムなどは，保護液として炭化水素である**灯油**を使用しているので，正しい。

問題38 **解答** (2)

解説 アルキルアルミニウムやアルキルリチウム（以上，第3類危険物）は，**水や空気（酸素）**のほか，**アルコール**や**二酸化炭素**とも激しく反応しますが，ヘプタンとは反応しないので，(2)が正解です（アルキルリチウムはヘプタンに可溶）。

その他，溶剤として用いる**ベンゼン**や**ヘキサン**とも反応しないので，要注意！

問題39 **解答** (3)

解説 B．水とは激しく反応しますが，アセチレンガスではなく**水素**を発生するので，誤りです（アセチレンガスを発生するのは，炭化カルシウムです）。

C．カリウムやナトリウムを融点以上に加熱したり，あるいは，炎の中に入れると，特有の炎を出して燃焼しますが，**黄色**の炎を出して燃焼するのは**ナトリウム**であり，**カリウム**は**紫色**の炎を出して燃焼するので，誤りです。

D．空気との接触を避けるため，水中に貯蔵するのは**黄リン**であり，カリウ
ムやナトリウムは，**灯油中**に貯蔵するので，誤りです。

（B，C，Dの3つが誤り。）

問題40 **解答** (2)

解説 静電気は絶縁性が高いものほど蓄積されやすいので，絶縁性に優れた衣
服や靴ではなく，静電気の帯電を防ぐ**帯電防止服**や**帯電防止靴**の着用を励行
します。

問題41 **解答** (3)

解説 水溶性の液体に一般の泡消火剤を放射すると，泡が溶けて消滅してしま
うので，**水溶性液体用泡消火剤（耐アルコール泡）**を使用します。

従って，問題の物質のうち水溶性液体は，**アセトン，グリセリン，ピリジ
ン**の3つになるので，(3)が正解となります。

なお，スチレンは灯油や軽油と同じく，第2石油類の非水溶性液体です。

問題42 **解答** (2)

解説 第6類の火災に対する消火方法は，原則として，**燃焼物に適応した消火
方法**をとりますが，乾燥砂で覆うのはすべての第6類危険物に有効な消火方
法となります。

問題43 **解答** (2)

解説 過塩素酸（第6類危険物）は，**金属**とは激しく反応して酸化物を生成す
るので，貯蔵の際は，**ガラス製**や**プラスチック製**あるいは，**陶器**の容器に入
れて冷暗所に貯蔵します。

第5回

問題44　解答 (4)

解説 過酸化水素（第6類危険物）にアルカリ水を加えると分解が促進されるので，漏えいしたときは，**大量の水**で希釈して洗い流します。

なお，(3)については，内圧の上昇を防ぐために，容器に通気孔を設けて貯蔵します。

問題45　解答 (2)

解説 第6類の危険物は，第1類の危険物と同じく，**無機化合物**です。

なお，(5)は過塩素酸やハロゲン間化合物などが該当するので，正しい。

得点アップのための問題

プラスα

　甲種危険物取扱者試験では，特に化学が合格，不合格を分けるケースが少なくないので，ここでは，模擬テストには入りきれなかったけれど，この問題には要注意！と思われる化学の問題を付け足しましたので，有効に活用してください。

問題1

気体状態の化合物 1 ℓ を完全燃焼させたところ，同温同圧の酸素 2 ℓ を消費した。この化合物に該当するものとして，次のうち正しいものはどれか。

ただし，いずれも理想気体として挙動するものとする。

(1) ジメチルエーテル

(2) 酢酸

(3) 酸化プロピレン

(4) エタン

(5) アセチレン

解説 気体の状態方程式 $PV = nRT$ より，同温同圧の場合，同体積に含まれる気体の分子数（モル数）は気体の種類に関わらず一定となります。したがって，この問題は，「ある物質 1 mol を燃焼させるのに酸素分子 2 mol を消費した」とも読み変えることもできます。

そこで，物質 1 mol を燃焼させるのに必要な理論酸素量が **2 mol** となるものを探してみます。

その場合，必要な酸素原子の数を求める式を思い出します。

> 分子中のC，H，Oの数を，そのままC，H，Oとした場合，必要となる酸素原子の数 ［O］ は，$[O] = 2C + \dfrac{H}{2} - O$ である（P45，問題19の解説参照）。
>
> 酸素分子（O_2）の mol 数は，それを 2 で割ればよい

(1) ジメチルエーテル：C_2H_6O

Cが 2 個，Hが 6 個，Oが 1 個より，$[O] = 2 \times 2 + \dfrac{6}{2} - 1 = 6$

すなわち，ジメチルエーテル 1 mol あたり，酸素は $\dfrac{6}{2} = 3$ mol なので，×。

得点力アップのための問題

(2)　酢酸 : CH_3COOH

Ｃが 2 個，Ｈが 4 個，Ｏが 2 個より，$[O] = 2 \times 2 + \dfrac{4}{2} - 2 = 4$

すなわち，酢酸 1 mol あたり，酸素は $\dfrac{4}{2} = 2$ mol 必要なので，これが正解です。

(3)　酸化プロピレン : C_3H_6O

Ｃが 3 個，Ｈが 6 個，Ｏが 1 個より，$[O] = 3 \times 2 + \dfrac{6}{2} - 1 = 8$

すなわち，酸化プロピレン 1 mol あたり，酸素は $\dfrac{8}{2} = 4$ mol 必要なので，×。

(4)　エタン : C_2H_6

Ｃが 2 個，Ｈが 6 個より，$[O] = 2 \times 2 + \dfrac{6}{2} = 7$

すなわち，エタン 1 mol あたり，酸素は $\dfrac{7}{2} = 3.5$ mol 必要なので，×。

(5)　アセチレン : C_2H_2

Ｃが 2 個，Ｈが 2 個より，$[O] = 2 \times 2 + \dfrac{2}{2} = 5$

すなわち，アセチレン 1 mol あたり，酸素は $\dfrac{5}{2} = 2.5$ mol 必要なので，×。

よって，(2)の酢酸が正解となります。

解答

(2)　酢酸

問題 2

　水素6.0gと，メタン16.0gをある容器に入れたところ，0℃で全圧が0.2MPaとなった。このときの各成分気体の分圧，容器の体積はどれか。

	水素の分圧	メタンの分圧	容器の体積
(1)	0.15 MPa	0.05 MPa	44.8 ℓ
(2)	0.05 MPa	0.15 MPa	89.6 ℓ
(3)	0.04 MPa	0.16 MPa	22.4 ℓ
(4)	0.16 MPa	0.04 MPa	11.2 ℓ
(5)	0.10 MPa	0.10 MPa	67.2 ℓ

解説　分圧の法則より，密閉容器内における混合気体の分圧は，**各気体の分子数に比例**します。水素の分子量は，$H_2 = 2$ なので，水素6gは $6 \div 2 = $ **3 mol**。

　メタンの分子量は，$CH_4 = 16$ なので，メタン16gは，$16 \div 16 = $ **1 mol**。

　したがって，この容器中における各気体の分圧比は，**3 : 1** となります。

　容器の全圧は0.2MPaなので，水素分圧は $0.2 \times \dfrac{3}{4} = $ **0.15MPa**，

メタン分圧は $0.2 \times \dfrac{1}{4} = $ **0.05MPa** となります。

　また，0℃，1気圧（**0.1MPa**）の標準状態における気体 **1 mol** の体積は22.4ℓです。

　この問題は，0℃で0.2気圧の状態における気体 4 mol の体積を求めればよいので，そこで，気体の状態方程式 $PV = nRT$ を思い出します。

　この式より，[気体の体積 V は，モル数 n に比例し，圧力 P に反比例する]のがわかります。従って，モル数 n は，標準状態の **4倍** になりますが，圧力 P は反比例なので，$\dfrac{0.1}{0.2}$ 倍になります。

　よって，容器の体積は，$22.4 \times \left(\dfrac{4}{1}\right) \times \left(\dfrac{0.1}{0.2}\right) = $ **44.8ℓ** となります。

得点力アップのための問題

解答

(1)　0.15Mpa，0.05Mpa，44.8ℓ

問題3

　次のうち，分子内にカルボキシ基（カルボキシル基）を含む物質はいくつあるか。

　　A　ジエチルエーテル

　　B　アセトン

　　C　1-プロパノール

　　D　アセトアルデヒド

　　E　酢酸

(1)　1つ　　(2)　2つ　　(3)　3つ　　(4)　4つ　　(5)　5つ

解説　カルボキシ基は，**−COOH** で表される官能基（有機化合物の性質を決める作用をする原子団）で，分子内にこの構造をもつ分子を順に確認すると………

A　ジエチルエーテル（$C_2H_5OC_2H_5$）

　　これは，R-O-R' の構造をもつ**エーテル**（エーテル内の -O- の結合を**エーテル結合**という）なので，×。なお，ジエチルエーテルは，いずれの R にもエチル基（$-CH_2CH_3$）をもち，通常エーテルと言う時は，このジエチルエーテルを指します。

B　アセトン（C_3H_6O）

　　これは，R-C(=O)-R' の構造をもつ**ケトン**なので，×。なお，アセトンは，いずれの R も**メチル基**（$-CH_3$）からなる最も単純なケトンです。

C　1-プロパノール（C_3H_7OH）

　　これは，炭化水素のプロパン（C_3H_8）に**ヒロドキシ基**（$-OH$）が付加した**アルコール**なので×。

D　アセトアルデヒド（CH_3CHO）

　　これは，**アルデヒド基**（$-CHO$）をもつアルデヒドなので，×。

E　酢酸（CH_3COOH）

これは、**カルボキシ基**（−COOH）をもつカルボン酸なので、○。

従って、(1)の1つが正解です。

ちなみに、カルボキシ基をもつ分子のことを**カルボン酸**といいます。

解答

(1) 1つ

問題4

エタノール（C_2H_5OH）1gあたりの沸点における蒸発熱は、859Jである。この値を利用してエタノール1molあたりの蒸発熱を求めた場合、正しいものは次のうちどれか。ただし、原子量は C=12、H=1、O=16 とする。

(1) 13,744 J

(2) 19,757 J

(3) 20,616 J

(4) 26,629 J

(5) 39,514 J

解説　まず、エタノールの分子量は、$(12 \times 2) + (1 \times 5) + (16) + (1) = 46$ となるので、1molあたりの質量は46gとなります。

　1gあたりの沸点における蒸発熱が859Jなので、1molあたりの蒸発熱は、859 J × 46 = 39,514 J ということになります。

解答

(5) 39,514 J

得点力アップのための問題

問題 5

pH 値が n である水溶液の水素イオン濃度を100分の 1 にすると，この水溶液の pH 値は，次のうちどれか。

(1) $\dfrac{n}{100}$

(2) $100\,n$

(3) $n + 2$

(4) $n - 2$

(5) $\dfrac{(n - 1)}{2}$

解説　水素イオン濃度 pH は，**pH $= -\log_{10}[H^+]$** で求められます。

従って，溶液中の水素イオン濃度が $10^{-n}\,mol/\ell$ とした場合，

pH $= -\log_{10}[H^+] = -\log_{10}10^{-n} = -(-n\,\log_{10}10) = n\,\log_{10}10 = n$ となります（$\log_{10}10 = 1$ より）。

つまり，問題文の pH 値が n である水溶液の水素イオン濃度 $[H^+]$ は，$10^{-n}\,mol/\ell$ である，ということになります。

この $10^{-n}\,mol/\ell$ の水素イオン濃度が100分の 1 になったということは，つまり，$\dfrac{10^{-n}}{100} = 10^{-n} \times 10^{-2} = 10^{-n-2}\,mol/\ell$ になったということになります。

よって，pH $= -\log_{10}10^{-n-2} = -\{(-n-2)\log_{10}10\} = (n+2)\log_{10}10 = n + 2$，となります

解答

(3)　$n + 2$

甲種危険物取扱者

本試験直前模擬テスト

第1回～第5回を学習した後、
本試験前の最後の総仕上げとして、この直前模擬テストに取り掛かってください。

━━危 険 物 に 関 す る 法 令━━

問題 1

　法令上，指定数量未満の危険物について，次のA～Dのうち，誤っているものすべてを掲げてあるものはどれか。ただし，**法第17条第1項の消防用設備等の技術上の基準を除く。**

　　A　指定数量未満の危険物とは，都道府県条例で定める数量未満の危険物をいう。

　　B　指定数量未満の危険物を車両で運搬する場合の技術上の基準は，市町村条例で定める。

　　C　指定数量未満の危険物を貯蔵し，または取り扱う場所の位置，構造及び設備の技術上の基準は，市町村条例で定める

　　D　指定数量未満の危険物を10日以内の期間，仮に貯蔵し，又は取り扱う場合は，所轄消防長又は消防署長の承認が必要である。

　⑴　A，B
　⑵　B，C
　⑶　A，B，D
　⑷　A，C，D
　⑸　B，C，D

問題 2

　法令上，同一の貯蔵所において，耐火構造の隔壁で完全に区分されたそれぞれの室に，次に示す危険物をそれぞれの室に貯蔵する場合，この貯蔵所は指定数量の何倍の危険物を貯蔵していることになるか。

　　硫黄………………………1000kg
　　黄リン……………………200kg
　　硝酸………………………900kg

　⑴　5倍　　⑵　10倍　⑶　15倍　⑷　23倍　⑸　33倍

問題 3

屋外貯蔵タンクに第4類の危険物が貯蔵されている。この危険物の性状は，非水溶性液体，1気圧において引火点24.5℃，沸点136.2℃，発火点432℃である。法令上，この危険物に該当するものはどれか。

(1) 特殊引火物

(2) 第1石油類

(3) アルコール類

(4) 第2石油類

(5) 第3石油類

問題

問題 4

法令上，製造所の外壁又はこれに相当する工作物の外側から，学校，病院等の建築物等までの間に定められた配置（保安距離）を保たなければならない建築物等に該当していないものは，次のうちどれか。ただし，防火上有効な柵はないものとする。

(1) 児童養護施設（児童福祉法に規定するもので，20以上の人員を収容することができるもの）

(2) 病院（医療法に規定するもの）

(3) 劇場（300人以上の人員を収容することができるもの）

(4) 有料老人ホーム（老人福祉法に規定するもので，20人以上の人員を収容することができるもの）

(5) 旅館（旅館業法に規定するもの）

問題 5

法令上，製造所等の位置，構造，設備を変更しようとする場合の手続きとして，次のうち正しいものはどれか。

(1) 移動タンク貯蔵所を常置する場所を変更しようとするときは，市町村長等に譲渡の届け出を行わなければならない。

(2) 製造所等の変更しようとする箇所が，政令で定める技術上の基準に適合している場合は，工事完了後に市町村長等に許可を申請しなければならない。

(3)　2以上の都道府県の区域にわたって設置される移送取扱所の場合は，変更する箇所を管轄する都道府県知事に許可を申請しなければならない。

(4)　製造所等に設置された消火設備を変更しようとするときは，管轄消防署長の承認を受けなければならない。

(5)　市町村長等に許可を申請する場合は，変更の内容に属する図面その他規則で定める書類を添付しなければならない。

問題6

　法令上，顧客に自ら自動車等に給油させる給油取扱所の構造及び設備の技術上の基準として，次のうち誤っているものはいくつあるか。

　　A　顧客用固定給油設備は，ガソリン及び軽油相互の誤給油を有効に防止することができる構造としなければならない。

　　B　顧客用固定給油設備の給油ノズルは，自動車等の燃料タンクが満量となったときに，ブザー等によって自動的に警報を発する構造にしなければならない。

　　C　固定給油設備には，顧客の運転する自動車等が衝突することを防止するための対策を施さなければならない。

　　D　当該給油取扱所は，建築物内に設置してはならない。

　　E　「自動車等の停止位置の表示」「危険物の品目の表示」「顧客用固定給油設備以外の給油設備には，顧客が自ら用いることができない旨の表示」「営業時間の表示」などを表示しなければならない

(1)　1つ　　　(2)　2つ　　　(3)　3つ　　　(4)　4つ　　　(5)　5つ

問題7

　法令上，危険物を貯蔵し，又は取り扱うタンクの容量制限として，次のうち正しいものはどれか。ただし，特例基準が適用されるものを除く。

(1)　屋内タンク貯蔵所の屋内貯蔵タンクの容量は40000ℓ以下である。

(2)　地下タンク貯蔵所の地下貯蔵タンクの容量は50000ℓ以下である。

(3)　移動タンク貯蔵所の移動貯蔵タンクの容量は30000ℓ以下である。

(4)　簡易タンク貯蔵所の簡易貯蔵タンクの容量は1000ℓ以下である。

(5) 給油取扱所の専用タンクの容量は30000ℓ以下である。

問題 8

法令上，給油取扱所を仮使用しようとする場合，次のうち正しいものはどれか。

(1) 給油取扱所の設置許可を受けたが，完成検査前に使用したいので仮使用の申請を行う。

(2) 給油取扱所において，専用タンクを含む全面的な変更許可を受けたが，工事中も営業を休むことができないので，変更部分について仮使用の申請を行う。

(3) 給油取扱所の完成検査を受けたが，一部が不合格となったので，完成検査に合格した部分のみを使用するために仮使用の申請を行う。

(4) 給油取扱所の専用タンクの取替工事中，金属製ドラムから自動車の燃料タンクに直接給油するために，仮使用の申請を行う。

(5) 給油取扱所の事務所を改装するため変更許可を受けたが，その工事中に変更部分以外の部分の一部を使用するために，仮使用の申請を行う。

直前テスト

問題

問題 9

法令上，引火性液体（二硫化炭素を除く。）を貯蔵する屋外タンク貯蔵所の基準として，次のうち誤っているものはいくつあるか。ただし，特例基準が適用されるものを除く。

A 同一の防油堤内にA，B，Cの屋外貯蔵タンクがあり，タンクAには1000ℓ，タンクBには4000ℓ，タンクCには5000ℓが貯蔵されている場合に必要な最低の防油堤容量は，10000ℓである。

B 防油堤には，その内部に滞水することがないように，開閉弁のない水抜口を設けなければならない。

C 防油堤の高さは0.5m以上とするとし，かつ，その高さが1mを超える防油堤には，おおむね30mごとに堤内に出入りするための階段等を設置し，又は土砂の盛上げ等を行わなければならない。

D 屋外貯蔵タンクに，アセトアルデヒド，酸化プロピレン，アルキルア

ルミニウム，アルキルリチウムを注入するときは，あらかじめタンク内の空気を窒素などの不活性の気体と置換しておかなければならない。

E　防油堤は鉄筋コンクリート又は土で造らなければならない。

(1)　1つ　(2)　2つ　(3)　3つ　(4)　4つ　(5)　5つ

問題10

法令上，危険物保安監督者を定めなければならない製造所等は，次のうちどれか。

(1)　引火点が40℃以上の第4類の危険物のみを取り扱う第2種販売取扱所

(2)　移動タンク貯蔵所

(3)　引火点が40℃以上の第4類の危険物のみを貯蔵し，又は取り扱う屋内タンク貯蔵所

(4)　製造所，屋外タンク貯蔵所，給油取扱所及び移送取扱所には，貯蔵し，又は取り扱う危険物の数量に関係なく，危険物保安監督者を置かなければならない。

(5)　指定数量の倍数が30以下の屋外貯蔵所

問題11

法令上，移動タンク貯蔵所に備え付けておかなければならない書類は，次のA〜Eのうちいくつあるか。

A　完成検査済証

B　予防規程

C　製造所等の譲渡引渡届出書

D　危険物施設保安員選任・解任届出書

E　貯蔵する危険物の品名，数量又は指定数量の倍数の変更の届出書

(1)　1つ　(2)　2つ　(3)　3つ　(4)　4つ　(5)　5つ

問題12

　法令上，屋外貯蔵所の位置，構造及び設備の技術上の基準について，次のうち誤っているものはいくつあるか。

　　A　危険物を貯蔵し，または取り扱う場所の上部には，不燃材料で造った屋根を設けなければならない。

　　B　危険物を貯蔵し，または取り扱う場所の周囲には，さく等を設けて，明確に区画しなければならない。

　　C　危険物を貯蔵し，または取り扱う場所では湿潤ではなく，かつ，排水の良い場所に設置しなければならない。

　　D　屋外貯蔵所では，引火性固体（引火点が0℃以上のものに限る）を貯蔵し，又は取り扱うことができる。

　　E　屋外貯蔵所では，硝酸を貯蔵し，又は取り扱うことができる。

　(1)　1つ　　(2)　2つ　　(3)　3つ　　(4)　4つ　　(5)　5つ

問題13

　法令上，運搬に関する技術上の基準について，次のうち正しいものはいくつあるか。

　　A　指定数量の10分の1を超える塩素酸塩類と赤リンは混載することができる。

　　B　指定数量の10分の1を超える硝酸エステル類と硝酸は混載することができる。

　　C　第4類危険物を運搬する場合，容器の外部には「火気注意」の表示をしなければならない。

　　D　第6類危険物を運搬する場合，容器の外部には「可燃物接触注意」の表示をしなければならない。

　　E　第4類危険物のアルコール類は，危険等級Ⅰに該当する。

　　F　カリウムやナトリウムは危険等級Ⅰであるが，赤リンや硫黄は危険等級Ⅱである。

　(1)　1つ　　(2)　2つ　　(3)　3つ　　(4)　4つ　　(5)　5つ

問題14

　法令上，第3類の危険物のうち，同じ類であっても同一の貯蔵所に貯蔵できないものがある。ナトリウムとともに貯蔵できないものは，次のうちどれか。

(1)　カリウム

(2)　黄リン

(3)　アルキルアルミニウム

(4)　炭化カルシウム

(5)　水素化ナトリウム

問題15

　法令上，警報設備のうち，自動火災報知設備を設けなければならない製造所等に該当しないものは，次のうちどれか。

(1)　延べ面積が500㎡以上の製造所

(2)　指定数量の倍数が100以上の屋内貯蔵所（高引火点危険物のみを貯蔵し，又は取り扱うものを除く。）

(3)　タンク専用室を平家建以外の建物に設ける屋内タンク貯蔵所で，著しく消火困難に該当するもの

(4)　上部に上階を有する屋内給油取扱所

(5)　第2種販売取扱所

＝物 理 及 び 化 学＝

問題16

　ベンゼン39gが完全燃焼するために必要な空気量は，メタノール32gが完全燃焼するために必要な空気量の何倍か。

(1)　1.5倍　　　(2)　2.0倍　　　(3)　2.5倍

(4)　3.0倍　　　(5)　4.5倍

問

題

問題17

水の状態変化を示した下図の（a）（b）（c）のうち，気体，液体，固体はそれぞれどの部分に該当するか，次のうちから正しいものを選べ。

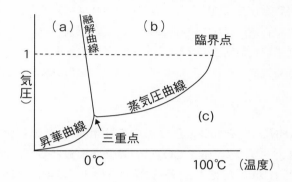

	(a)	(b)	(c)
(1)	気体	液体	固体
(2)	液体	固体	気体
(3)	固体	気体	液体
(4)	液体	気体	固体
(5)	固体	液体	気体

問題18

次に掲げる物質のうち，自然発火しやすいものとして該当しないものはいくつあるか。

A　動植物油類のあまに油が染み込んだぼろ布

B　てんぷらの揚げ玉

C　アルコールの染み込んだぼろ布

D　大量に積まれたゴムくず

E　吸湿したごみ固形化燃料

F　硝化綿

(1)　1つ　　(2)　2つ　　(3)　3つ　　(4)　4つ　　(5)　5つ

問題19

物体の帯電について，次のうち正しいものはどれか。

(1) 電荷には，正電荷と負電荷があり，同種の電荷の間には引力が働く。

(2) 導体に帯電体を近づけると，導体と帯電体は反発する。

(3) 帯電した物体に流れている電気のことを静電気という。

(4) 物体が帯びた電気を電荷といい，その量を電気量という。

(5) 物体間の電荷のやりとりにより，電気量の総和が減少する。

問題20

純硝酸（HNO_3）を100kg含むものを中和するために使用する 1 袋 25kg の炭酸ナトリウム（Na_2CO_3）の最低必要数として，次のうち正しいものはどれか。ただし，原子量は H=1，C=12，N=14，O=16，Na=23とする。

(1) 2 袋　　(2) 3 袋　　(3) 4 袋

(4) 5 袋　　(5) 6 袋

問題21

化学平衡について，同温，同圧，同濃度の状態で，圧力を加えたときに平衡が右へ動くものをすべて選んだ選択肢はどれか。

A　$2NO_2 \Leftrightarrow N_2O_4$

B　$H_2 + I_2 \Leftrightarrow 2HI$

C　$N_2 + 3H_2 \Leftrightarrow 2NH_3$

D　$2SO_2 + O_2 \Leftrightarrow 2SO_3$

(1) A，B　(2) A，C，D　　(3) B，C，D

(4) B，D　(5) C，D

問題22

物質の単体，化合物，混合物について，次のうち正しいものはどれか。

(1) 単体は，純物質でただ 1 種類の元素のみからなり，通常の元素名とは異なる。

(2) 混合物は，混ざり合っている純物質の割合が異なっても，融点や沸点などが一定で，固有の性質を持つ。

(3) 化合物は，分解して2種類以上の別の物質に分けることができない。

(4) 気体の混合物は，その成分が必ず一組であるが，溶液の混合物は必ずしもその成分がすべて液体であるとは限らない。

(5) 化合物のうち，無機化合物は酸素，窒素，硫黄などの典型元素のみで構成されている。

問題23

炭素鋼管の腐食についての説明として，次のうち誤っているものはどれか。

(1) ステンレス鋼管とつなぎ合わせると，腐食しにくくなる。

(2) 亜鉛めっきをすると，腐食しにくくなる。

(3) 埋設する場合は，マグネシウム合金を電極として接続すると，腐食しにくくなる。

(4) エポキシ樹脂塗料で塗装すると，腐食しにくくなる。

(5) ポリエチレンで被覆すると，腐食しにくくなる。

問題24

コロイド溶液に関する記述について，次のうち誤っているものはどれか。

(1) コロイド溶液に横から光速をあてると，コロイド粒子が光を散乱させるため，光の通路が明るく光ってみえる。

(2) 疎水性コロイドに少量の電解質を加えると大きな凝集ができて沈殿する。

(3) 疎水性コロイドに親水性コロイドを加えると親水性コロイドを疎水性コロイドが取り囲み沈殿する。

(4) 直流の電流を流すとコロイド粒子は帯電している電荷と逆の電極に引き寄せられる。

(5) コロイド溶液中のコロイド粒子は，水分子がコロイド粒子に不規則に衝突しているため，ふるえるように不規則に動いている。

次の有機化合物に関する説明のうち，誤っているものはどれか。

(1) エステルは，アルコールとカルボン酸が結合してできる化合物である。

(2) ケトンは，一般に第二級アルコールの酸化によってできる化合物である。

(3) フェノール類は，ベンゼン環の水素原子をカルボキシ基（カルボキシル基）で置換してできる化合物である。

(4) スルホン酸は，炭化水素の水素原子をスルホ基（スルホン基）で置換してできる化合物である。

(5) カルボン酸は，一般に第一級アルコールまたはアルデヒドの酸化によってできる化合物である。

＝＝危険物の性質並びにその火災予防及び消火の方法＝＝

次に掲げる危険物の組合せのうち，互いに接触しても反応が起きないものは，どれか。

(1) 過酸化水素……………………過マンガン酸カリウム

(2) マグネシウム………………１－クロロベンゼン（塩化プロピル）

(3) ヘキサン………………………アルキルアルミニウム

(4) 鉄粉……………………………硝酸

(5) 水素化カリウム………………エタノール

第１類の危険物（アルカリ金属およびアルカリ土類金属の過酸化物並びにこれを含有するものを除く）のすべてに有効な消火方法として，次のＡ～Ｅによる組合せのうち，最も適切なものはどれか。

  Ａ 霧状の水により消火する。

  Ｂ 泡消火剤により消火する。

  Ｃ 二酸化炭素消火剤により消火する。

D　粉末消火剤（炭酸水素塩類を使用するもの）により消火する。

E　棒状の水により消火する。

(1)　AとC　　　　(2)　AとE　　　　(3)　BとE

(4)　AとBとE　　(5)　AとCとD

問題28

　過酸化ナトリウムの貯蔵，取扱いに関する次のA～Dについて，正誤の組合せとして正しいものはどれか。

A　麻袋や紙袋で貯蔵する。

B　可燃物や強酸とは接触を避ける。

C　水で湿潤とした状態にして取り扱う。

D　加熱する場合は，白金るつぼを用いない。

E　ガス抜き口を設けた容器に貯蔵する。

	A	B	C	D	E
(1)	○	×	○	×	×
(2)	×	○	×	○	×
(3)	○	×	○	×	×
(4)	×	○	○	○	×
(5)	×	×	○	×	×

（注：表中の○は正，×は誤を表すものとする。）

問題29

第2類の危険物の性状について，次のうち誤っているものはどれか。

(1)　水に溶けないものもある。

(2)　ゲル状のものがある。

(3)　比較的低温で着火しやすいものがある。

(4)　燃焼によって有害ガスを発生するものがある。

(5)　水と反応しアセチレンガスを発生するものがある。

問題30

アルミニウム粉の性状について，次のうち誤っているものはどれか。

(1)　銀白色の軽金属粉である。

(2)　比重は 1 より小さい。

(3)　水に接触すると可燃性ガスを発生し，爆発する危険性がある。

(4)　空気中に浮遊すると，粉じん爆発を起こす危険性がある。

(5)　金属の酸化物と混合し点火すると，クロムやマンガンのような還元され
にくい金属の酸化物であっても還元することができる。

問題31

亜鉛粉の性状について，次のうち誤っているものはどれか。

　　A　高温では水蒸気を分解して水素を発生する。

　　B　水分があれば，ハロゲンと容易に反応する。

　　C　水酸化ナトリウムの水溶液と反応して酸素を発生する。

　　D　軽金属に属し，高温に熱すると赤色光を放って発火する。

　　E　硫酸の水溶液と反応して水素を発生するほか，濃硝酸と混合したもの
は，加熱，摩擦等によって発火する。

(1)　AとB

(2)　BとC

(3)　BとE

(4)　CとD

(5)　CとE

問題32

**マグネシウムの性状について，次のA～Eのうち誤っているものはい
くつあるか。**

　　A　マグネシウムの酸化皮膜は，更に酸化を促進させる。

　　B　白光を放ち激しく燃焼し，酸化マグネシウムとなる。

　　C　棒状のマグネシウムは，直径が小さい方が燃えやすい。

　　D　熱水と作用して，水素を発生する。

E　窒素とは高温でも反応しない。

(1)　1つ　　(2)　2つ　　(3)　3つ　　(4)　4つ　　(5)　5つ

問題33

引火性固体の性状について，次のうち誤っているものはいくつあるか。

A　引火点は40℃以上であり，常温（20℃）では引火しない。

B　衝撃等により発火するものがある。

C　ゴムのりは，接着剤の一種で，生ゴムを主に石油系溶剤に溶かしてつくられる。

D　ラッカーパテとは，トルエン，ニトロセルロース，塗料用石灰等を配合した下地用塗料である。

E　ゴムのりは，水に溶けやすい。

(1)　1つ　　(2)　2つ　　(3)　3つ　　(4)　4つ　　(5)　5つ

問題34

次の文の下線部分（A）〜（F）のうち，誤っているもののみを揚げているものはどれか。

「アルキルアルミニウムは，一般にアルキル基とアルミニウムに有する化合物をいうが，(A) これにはすべてハロゲンが含まれている。

この化合物のうち低分子量のものは，常温（20℃）で液体のものが多く，また空気に触れると発火するものがある。しかし，(B) 水とは反応しない。空気に触れることによる発火危険性は，一般に(C) 炭素数が増加するに従って低下する。(D) 皮膚に付着すると激しい火傷を起こす。

消火には(E) 注水消火が適するが，(F) ハロン1301, 二酸化炭素等による消火は適さない。」

(1)　A，D，F

(2)　A，C，F

(3)　A，B，E

(4)　B，C，E

(5)　B，D，E

問題35

ナトリウム火災の消火方法の組合せとして，次のA～Eのうち適切なものをすべて掲げてあるものはどれか。

  A 膨張ひる石（バーミキュライト）で覆う。

  B ハロゲン化物消火剤を噴射する。

  C 二酸化炭素消火剤を噴射する。

  D 乾燥した塩化ナトリウム粉末で覆う。

  E 乾燥した炭酸ナトリウム粉末で覆う。

 (1) A，B，D

 (2) A，C，E

 (3) A，D，E

 (4) B，C，D

 (5) B，C，E

問題36

自動車ガソリンとメタノールの一般的性状について，次のうち誤っているものはどれか。

 (1) 自動車ガソリンは，メタノールよりも静電気を帯電しやすいので，容器やタンクへの注入は，メタノールよりも流速を遅くするなどの処置が必要である。

 (2) 自動車ガソリンは非水溶性であるが，メタノールは水溶性なので，メタノールの火災の消火には，水溶性液体用の泡消火剤が有効である。

 (3) 発生する蒸気の比重は，自動車ガソリンの方が大きいので，メタノールよりも低所にたまりやすい。

 (4) メタノールは，自動車ガソリンよりも燃焼範囲が狭いので，窒息による消火の効果は自動車ガソリンよりも大きい。

 (5) メタノールが燃焼したときの炎は青白く，自動車ガソリンの炎に比べ明るい場所では見えにくいので，消火などの作業の際には注意しなければならない。

問題

問題37

軽油の性状について，次のうち誤っているものは，いくつあるか。

A　沸点は水より低い。

B　多量の炭化水素の混合物である。

C　無色無臭の液体である。

D　引火点は30～40℃の範囲内になる。

E　発火点は自動車ガソリンより低い。

(1)　1つ　　(2)　2つ　　(3)　3つ　　(4)　4つ　　(5)　5つ

問題38

アクリル酸の性状について，次のうち誤っているものはいくつあるか。

A　水やエーテルには溶けない。

B　酸化性物質と混触しても，発火・爆発のおそれはない。

C　融点がおよそ14℃と高いことを利用して，通常，凍結させて保管する。

D　熱，光，過酸化物，鉄さびなどにより重合が加速されるので，重合防
止剤を加えて貯蔵する。

E　容器は，ステンレス鋼管または内面をポリエチレンでライニングした
ものを用いる。

(1)　1つ　　(2)　2つ　　(3)　3つ　　(4)　4つ　　(5)　5つ

問題39

第5類の危険物の性状について，次のうち正しいものはいくつあるか。

A　比重は1より大きい。

B　分子内に窒素と酸素を含有している。

C　引火性を有するものはない。

D　すべて不燃性である。

E　長時間のうちに重合が進み，次第に性質が変化していく。

(1)　1つ　　(2)　2つ　　(3)　3つ　　(4)　4つ　　(5)　5つ

アジ化ナトリウムの性状について，次のうち誤っているものはいくつあるか。

- A　無色の板状結晶である。
- B　アルカリ金属とは激しく反応するが，銅，銀に対しては安定である。
- C　水に溶けないが，ジエチルエーテルによく溶ける。
- D　徐々に加熱すれば，融解して約300℃で分解し，窒素とナトリウムを生じる。
- E　融点以上に急激に加熱すると激しく分解し，爆発することがある。

(1)　1つ　　(2)　2つ　　(3)　3つ　　(4)　4つ　　(5)　5つ

問題41

第5類のニトロ化合物について，次のうち誤っているものはどれか。

- A　トリニトロトルエン，ピクリン酸は，代表的なニトロ化合物である。
- B　ニトログリセリン，ニトロセルロースは，ニトロ化合物には該当しない。
- C　急激な加熱，打撃等により爆発する。
- D　ニトロ基をもつすべての化合物が含まれる。
- E　トリニトロトルエンは，金属と反応する。

(1)AとC　　(2)AとE　　(3)BとD　　(4)CとE　　(5)DとE

問題42

第6類の危険物の性状について，次のうち誤っているものはどれか。

- (1)　酸化性の液体で，比重が1より大きい。
- (2)　薄めた水溶液の方が，金属に対する腐食性が強くなるものがある。
- (3)　引火点を有しない。
- (4)　還元剤とは，よく反応する。
- (5)　大量にこぼれた場合は，水酸化ナトリウムの濃厚な水溶液で中和する。

問題43

硝酸の性状について，次のうち誤っているものはいくつあるか。

A　鉄やアルミニウムは，濃硝酸には溶けるが，希硝酸中では不動態となるため溶けない。

B　98％以上の硝酸は，発煙硝酸という。

C　蒸気は不燃性のため，液面に火源を近づけても引火することはない。

D　酸化力が強く，銅，銀などのイオン化傾向の小さな金属も溶解する。

E　濃硝酸は，金，白金を腐食する。

F　濃硝酸が流出した場合は直ちに多量のおがくずで吸収し，拡散防止を図る。

(1)　1つ　　(2)　2つ　　(3)　3つ　　(4)　4つ　　(5)　5つ

問題44

過酸化水素の性状について，次のA〜Eのうち，誤っているものを組合わせたものはどれか。

A　加熱や金属粉との混合により，発火や爆発のおそれがある。

B　有毒で反応性が強く，空気中で分解する。常温（20℃）でも水と酸素に分解して熱を発する

C　無色の液体で，水より軽い。

D　水と混合すると，上層に過酸化水素，下層に水の2層に分離する。

E　一般に他の物質を酸化して水になるが，酸化力の強い過マンガン酸カリウムのような物質等と反応すると，還元剤として作用し，酸素を発生する。

(1)　AとB

(2)　AとD

(3)　BとC

(4)　BとD

(5)　CとD

問題45

三フッ化臭素の性状等について，次のうち正しいものはどれか。

(1) 赤紫色の発煙性液体である。

(2) 酸化力が強く，金属を腐食する。

(3) ガラスは侵さないので，ガラス製の容器に貯蔵する。

(4) 水より比重が小さい。

(5) 引火点は常温（20℃）より低い。

本試験直前テストの解答

＝危険物に関する法令＝

問題1 **解答** (3)（A，B，Dが誤り）

解説 A　誤り。指定数量未満の危険物等は**市町村条例**で定めます。

B　運搬は，指定数量以上，指定数量未満とも**消防法**の規制を受けます。

D　承認が必要なのは，**指定数量以上**の危険物を10日以内の期間，仮に貯蔵し，又は取り扱う場合です。

解答

問題2 **解答** (4)

解説 指定数量は硫黄が100kg，黄リンが20kg，硝酸が300kg なので，1000／100＋200／20＋900／300＝10＋10＋3＝23になります。

問題3 **解答** (4)

解説 引火点が24.5℃なので，第2石油類の引火点の範囲内（21℃以上70℃未満）にある危険物ということになります。

問題4 **解答** (5)

解説 旅館は，**学校，病院，劇場その他多数の人を収容する施設**に含まれていません。

問題5 **解答** (5)

解説 (1)，(2)，(4)は**許可**，(3)は**総務大臣**に申請します。

問題 6　**解答**　(3)　(B，D，Eの3つが誤り。)

解説　Bはブザーではなく，**給油を自動的に停止する構造**とし，Dは建築物内
に設置可能，Eは「営業時間の表示」は不要です。

問題 7　**解答**　(3)

解説　(1)は原則，指定数量の**40倍以下**，(2)は**制限なし**，(4)は**600ℓ以下**，(5)は
制限なし，です（廃油タンクは10000ℓ以下）。

問題 8　**解答**　(5)

解説　p169，問題4の解説参照。

問題 9　**解答**　(2)　(A，Bが誤り。)

解説　Aは，最大のタンク容量Cの5000ℓ×1.1＝5500ℓ以上の容量が必要，
Bは，防油堤には開閉弁が必要で「開閉弁のない」が誤り。

問題10　**解答**　(4)

解説　p40，問題9の解説参照。

問題11　**解答**　(3)　(A，C，Eの3つ)

解説　その他，定期点検記録も必要です。

問題12　**解答**　(2)　(A，Eの2つが誤り。)

解説　Aの屋根は不要，Eは硝酸を貯蔵し，又は取り扱うことはできません。

問題13 **解答** (2) (D, Fが正しい。)

解説 A 誤り。混載できる組合せは次のとおりです。

混載できる組み合わせ

```
  1 - 6
  2 - 5,    4
  3 - 4
  4 - 3,  2, 5
```

左の部分は1から4と順に増加，右の部分は6，5，4，3と下がり，<u>2</u>と<u>4</u>を逆に張り付け，そして最後に5を右隅に付け足せばよい。

直前テスト

解答

従って，第1類の塩素酸塩類と第2類の赤リンは混載できません。

B 誤り。第5類の硝酸エステル類と第6類の硝酸は混載できません。

C 誤り。第4類危険物の場合は，「火気厳禁」です。

D 正しい。第1類危険物も同じく「可燃物接触注意」です。

E 誤り。アルコール類は，危険等級Ⅱに該当します。

問題14 **解答** (2)

解説 ナトリウムは禁水性物質なので，水中貯蔵する黄リンとは，同時貯蔵はできません(⇒ナトリウムが黄リンの保護液である水と反応する危険性がある)。

問題15 **解答** (5)

解説 自動火災報知設備を設けなければならない製造所等は，次のとおりです。

「**製造所，一般取扱所，屋内貯蔵所，屋外タンク貯蔵所，屋内タンク貯蔵所，給油取扱所**」

═══物 理 及 び 化 学═══

問題16 **解答** (3)

解説 まず，ベンゼンの燃焼式は，$C_6H_6 + 7.5O_2 \rightarrow 6CO_2 + 3H_2O$ となります。（注：ベンゼン 1 mol は78g，メタノール 1 mol は32g）

ベンゼン 1 mol で酸素は7.5mol 必要なので，0.5mol では3.75mol 必要。

一方，メタノールの燃焼式は，$2CH_4O + 3O_2 \rightarrow 2CO_2 + 4H_2O$ となります。

この式より，<u>メタノール 2 mol を燃焼させるには 3 mol の酸素が必要</u>，になります。

空気量は酸素量に比例するので，ベンゼン39gで**3.75mol**，メタノール32gで**1.5mol** なので，3.75mol／1.5mol＝**2.5（倍）** となります。

問題17 **解答** (5) （注：曲線の名称も出題例あり）

解説 1 気圧のラインより，(a) は 0 ℃以下なので氷（**固体**），(b) は 0 ℃〜100℃で水（**液体**），(c) は100℃以上ということで蒸気（**気体**）となります。

問題18 **解答** (1) （Cのみ）

解説 A，B，Dは酸化熱の蓄積，Eは発酵熱，Fの硝化綿は第 5 類のニトロセルロースで，分解熱により自然発火する危険性があります。

問題19 **解答** (4)

解説 (1)は同種の電荷間には反発力，(2)は反発しない，(3)は電気が流れていないから静電気といい，(5)の電気量の総和は変化しません。

問題20 **解答** (3)

解説 硝酸（HNO_3）と炭酸ナトリウム（Na_2CO_3）の反応式は，次のとおりです。

$$2\,HNO_3+Na_2CO_3 \quad \rightarrow \quad 2\,NaNO_3+CO_2+H_2O$$

　これより，硝酸 **2 mol** の中和に炭酸ナトリウム **1 mol** が必要ということがわかります（C = 2 kmol なら 1 kmol が必要）。

　分子量は硝酸が**63**，炭酸ナトリウムが**106**なので，<u>硝酸**126kg**（2 kmol）を中和するのに必要な炭酸ナトリウムの量は，**106kg**（1 kmol）</u>となります。

　従って，下線部の比例より，100kg の硝酸を中和するのに必要な炭酸ナトリウム量は84.12kg（⇒106×100／126 = 84.12）。

　1 袋が25kg なので，4 袋が必要ということになります。

直前テスト

解答

問題21　　**解答**　(2)

解説 ル・シャトリエの原理より，圧力を加えると気体の分子密度が高くなるので，それを妨げる方向，すなわち，分子密度が疎になる方向（mol数が減少する方向）に平衡が移動します。

問題22　　**解答**　(4)

解説 (1)　単体は，カリウム（K）などのように，通常の元素名と同じです。
　(2)　混合物は，混ざり合っている純物質の割合が異なると融点や沸点等も異なります。
　(3)　化合物は，分解して2種類以上の別の物質に分けることができます。
　(4)　たとえば，空気の成分は酸素や窒素など，必ず気体だけですが，溶液の混合物，たとえば，食塩水は固体の食塩と液体の水からなるように，液体のみに限りません。
　(5)　たとえば，原子番号47の銀は，遷移元素ですが，その化合物である硝酸銀（AgNO₃）は無機化合物なので，遷移元素による無機化合物もあります。

問題23　　**解答**　(1)

解説 炭素鋼管とステンレス鋼管とをつなぎ合わせても，腐食しにくくなることはありません。

問題24 **解答** (3)

解説 親水性コロイドが疎水性コロイドを取り囲むので，沈殿しにくくなります（このような目的で用いられる親水性コロイドを**保護コロイド**という）。

問題25 **解答** (3)

解説 フェノールは，ベンゼン環の水素原子を**ヒドロキシル基（−ＯＨ）**で置換してできる化合物です（またはベンゼン環に直接−ＯＨが結合したもの）。

＝危険物の性質並びにその火災予防及び消火の方法＝

問題26 **解答** (3)

解説 アルキルアルミニウム（第3類）はヘキサンやベンゼンとは反応しません。

問題27 **解答** (4)

解説 アルカリ金属およびアルカリ土類金属の過酸化物（含有するものを含む）を除く第1類の危険物は，**大量の水**で冷却して，分解温度以下にすれば消火します。

問題28 **解答** (2)

解説 A　×。麻袋や紙袋で貯蔵するというのは，第2類の**硫黄**を貯蔵する際の貯蔵法です。

B　○。第1類危険物に共通する貯蔵，取扱い法です。

C　×。（無機過酸化物は**水**と激しく反応して**発熱する**ので，湿気を避けて**乾燥状態**で保管）。

D　○。過酸化ナトリウムを加熱すると，白金をおかすので，正しい。

E　×。容器は**密栓**する必要があります。

問題29 **解答** (5)

解説 (1)は**二酸化鉛**や**過酸化カリウム**，(2)は**引火性固体**，(3)は，引火点が10℃未満の**ゴムのり**，(4)は，燃焼により亜硫酸ガスを発生する**硫化リン**が該当しますが(5)は，水と反応しアセチレンガスを発生するのは，第3類危険物の**炭化カルシウム**です。

問題30 **解答** (2)

解説 アルミニウムの比重は2.7なので，1より大きい物質です。

問題31 **解答** (4) （CとDが誤り）

解説 C　水酸化ナトリウムなどのアルカリと反応して**水素**を発生します。

　D　亜鉛粉の比重は7.14なので，軽金属ではなく，**重金属**に属します。

解答

問題32 **解答** (2) （A，Eが誤り）

解説 A　表面が酸化皮膜で覆われると，空気と接触できなくなり，酸化は進行しなくなります。

　E　窒素とは高温で直接反応し，窒化マグネシウム（Mg_3N_2）を生じます。

問題33 **解答** (4) （C以外が誤り。）

解説 A　誤り。引火点が**40℃未満**で，常温（20℃）で可燃性蒸気を発生し，引火します。

　B　誤り。衝撃等により発火することはありません。

　D　誤り。ラッカーパテは，トルエン，ニトロセルロース，ブタノールなどからなる下地用塗料であり，塗料用石灰は含まれておりません。

　E　誤り。ゴムのりは，水には溶けません。

問題34 **解答** (3)

解説 A 誤り。塩素などのハロゲンが結合していないものもあります。
　B 誤り。アルキルアルミニウムやアルキルリチウムは、水とは爆発的に反応します。
　E 誤り。Bの解説より、水とは爆発的に反応するので、当然、注水は厳禁です。

問題35 **解答** (3)

解説 ナトリウム火災の消火には、① **乾燥砂**（膨張ひる石，膨張真珠岩含む），② **金属火災用粉末消火剤**，③ **乾燥炭酸ナトリウム**（ソーダ灰），④ **乾燥塩化ナトリウム**，⑤ **石灰**などを用います。従って、Aは①より、Dは④より、Eは③より適切です。

問題36 **解答** (4)

解説 燃焼範囲は、メタノールが、6〜36vol%、自動車ガソリンが1.4〜7.6vol%なので、メタノールの方が広くなっています。

問題37 **解答** (3) （A，C，Dが誤り。）

解説 A 誤り。軽油の沸点は**180℃以上**、水は1気圧で**100℃**です。
　C 誤り。無色ではなく、**淡黄色または淡褐色**で、無臭ではなく、**石油臭**があります。
　D 誤り。軽油の引火点は**45℃以上**です（灯油は、40℃以上）。
　　なお、Eの発火点は、軽油が**220℃**、ガソリンが約**300℃**です。

問題38 **解答** (3) （A，B，Cの3つが誤り。）

解説 A 誤り。第2石油類の水溶性なので水に溶け、エーテルやエタノールにもよく溶けます。

B　誤り。酸化性物質との混触により，発火することがあります。

C　誤り。凝固させたアクリル酸を溶かす際に発火，爆発する危険性があるので，凍結しないよう，**密栓**して**冷暗所**に貯蔵します。

問題39　**解答**　(1)　(Aのみ正しい。)

解説　B　誤り。すべてが両方とも含有しているわけではありません。

C　誤り。**エチルメチルケトンパーオキサイド，過酢酸，硝酸エチル，硝酸メチル，ピクリン酸**には引火点があります。

D　誤り。不燃性は**第1類**と**第6類**であり，第5類は可燃性です。

E　誤り。第5類危険物に重合反応を起こすものはありません。

問題40　**解答**　(2)　(B，Cが誤り。)

解説　B　誤り。水の存在により，**銀，銅，鉛，水銀などの重金属**と反応して**アジ化物**を生じます。

C　誤り。水に溶け，また，ジエチルエーテルには溶けません（アルコールには溶けにくい）。

問題41　**解答**　(5)

解説　D　誤り。ニトロ基をもつものが，すべてニトロ化合物に該当するわけではありません。

E　誤り。ピクリン酸は金属と反応し，トリニトロトルエンは反応しません。

問題42　**解答**　(5)

解説　水酸化ナトリウムではなく，**炭酸ナトリウム（ソーダ灰）**または**水酸化カルシウム（消石灰）**などで**中和**させます。

問題43 **解答** (3) （A，E，Fが誤り）

解説 A　誤り。　問題文は逆で，鉄やアルミニウムは，**希硝酸**には溶けますが，**濃硝酸**に対しては**不動態被膜**を形成して，溶けません（⇒腐食されない）。

E　誤り。硝酸は水素よりイオン化傾向の小さな金属（銅や銀）とも反応して腐食させますが，さらにイオン化傾向が小さい金や白金などは腐食させることはありません。

F　誤り。硝酸が流出した場合は，①**可燃物**を除去する。②**土砂**や**乾燥砂**等で硝酸を覆い，流出面積が拡大するのを防ぐ。③**大量の水**や**強化液消火剤**で**希釈**し，**消石灰**（**水酸化 Ca**）や**ソーダ灰**（**炭酸 Na**），**チオ硫酸ナトリウム**などをかけて**中和**し，**大量の水**で洗い流す。などの処置を行いますが，「**ぼろ布**にしみ込ませる。」「**おがくず**で吸い取る。」は **NG** です！（⇒**過塩素酸**の場合も基本的に同じ処置をします。）

問題44 **解答** (5) （C，Dが誤り。）

解説 C　誤り。無色の液体ですが，比重が**1.44**なので，水より**重い物質**です。

D　誤り。過酸化水素は水溶性なので，上層と下層の2層に分離することはありません。

問題45 **解答** (2)

解説 (1)　誤り。ハロゲン間化合物は，**無色の発煙性液体**です。

(3)　誤り。ハロゲン間化合物は，ガラスを侵します。

(4)　誤り。比重が2.84なので，水より**重い物質**です。

(5)　誤り。第6類危険物なので，不燃性であり，引火点はありません。

合格大作戦

（　虎の巻　）

　この合格大作戦は，「わかりやすい甲種危険物取扱者試験・大改訂版」（弘文社刊）の中から，本試験によく出題されている項目を取り出し，それぞれの分野ごとにまとめたものなんじゃ。

　要するに，「合格虎の巻」なんじゃが，本書の模擬テストを始める前，あるいは，すべてを終了して，知識の再確認を行う際などに活用すれば，非常に有益な「虎の巻」になるものと確信をしておる。

　日頃からこれらの重要ポイントに目を通し，試験直前にも再び目を通せば，合格ライン突破の非常に頼もしい味方になってくれるじゃろう。

●合格大作戦　その1　法令編●

(1) 製造所等の各種手続き

① 製造所等を**設置する**場合は，（位置，構造，設備の変更と同じく）市町村長等の**許可**が必要だが，<u>液体の危険物貯蔵タンク</u>があれば，完成検査の前に<u>完成検査前検査を受ける必要がある</u>（⇒ 出題例あり）。

② 変更しようとする日の**10日前**までに届け出るのは「危険物の品名，数量または指定数量の倍数を変更する時」のみ。

　　それ以外は「遅滞なく届け出る」

(2) 仮貯蔵・仮取扱い

　⇒ **消防長または消防署長の承認**を得れば10日以内に限り可能

(3) 仮使用

　⇒ **市町村長等の承認**を得て変更工事<u>以外</u>の部分を仮に使用する。

(4) 保安講習の受講時期

・従事し始めた日から **1年**以内，その後は受講日以後における最初の4月1日から **3年**以内ごとに受講する。ただし，従事し始めた日から過去 **2年**以内に**免状の交付**か**講習**を受けた者は，その交付や受講日以後における最初の4月1日から **3年**以内に受講すればよい。（免状交付直後に業務に従事した場合は，こちらのケースに入るので要注意！）

(5) 定期点検について

① 定期点検を必ず実施する施設（移送取扱所は省略）

　⇒ 地下タンクを有する施設と移動タンク貯蔵所

② 定期点検を実施しなくてもよい施設

　⇒ 屋内タンク貯蔵所，簡易タンク貯蔵所，販売取扱所

(6) 保安距離と保有空地

① 保安距離が必要な施設

　製造所　　　　屋外タンク貯蔵所　　　　屋内貯蔵所

　一般取扱所　　　屋外貯蔵所

② 保有空地が必要な施設⇒ 保安距離が必要な施設

＋簡易タンク貯蔵所＋移送取扱所

(7) 各危険物施設の基準のまとめ

表1 〈距離や高さ〉　　　　　　　　　　　　　　　（＊出題例あり）

	屋内タンク貯蔵所	屋外タンク貯蔵所	地下タンク貯蔵所	簡易タンク貯蔵所	移動タンク貯蔵所	給油取扱所
① タンクと壁	0.5m 以上		0.1m 以上	0.5m 以上		
② タンク相互	0.5m 以上		1.0m 以上＊			
③ 防油堤の高さ		0.5m 以上＊				
④ 給油空地						間口10m以上＊ 奥行6m以上

表2 〈タンクなどの容量や個数〉

タンク容量（屋外タンク貯蔵所と給油取扱所の専用タンクは容量制限なしです。）	指定数量の40倍以下。第4類は20,000ℓ以下（第4石油類と動植物油類除く）	制限なし	制限なし	600ℓ以下	3万ℓ以下（4,000ℓ以下ごとに間仕切り必要）	専用タンク：制限なし 廃油タンク1万ℓ以下

表3 〈その他〉

① 消火設備			第5種消火設備（小型消火器）が2個以上		第5種消火設備（自動車用消火器）が2個以上	
② 敷地内距離		必要				

表4 〈屋内貯蔵所と屋外貯蔵所の比較〉

	屋内貯蔵所	屋外貯蔵所
① 貯蔵できる危険物が限定されている施設は？（販売取扱所は指定数量で制限）	（制限なし）	○（2類と4類のみ（一部除く））
② 危険物の温度に規定があるものは？	○（55℃以下にする）	
③ 容器の積み重ね高さは？	3m以下	3m以下

表5 〈天井について〉

天井を設けてはならない施設（注：屋根は設けてもよい）	屋内貯蔵所，屋内タンク貯蔵所

(8) 貯蔵, 取扱いの基準のポイント

① 許可や届出をした**数量**（又は指定数量の倍数）を超える危険物, または許可や届出をした**品名**以外の危険物を貯蔵または取扱わないこと。

② 貯留設備や油分離装置にたまった危険物はあふれないように**随時**くみ上げること。

③ 危険物のくず, かす等は**1日に1回以上**, 危険物の性質に応じ安全な場所および方法で廃棄や適当な処置（焼却など）をすること。

④ 危険物が残存している設備や機械器具, または容器などを修理する場合は, **安全な場所で危険物を完全に除去してから行うこと。**
（換気に注意しながら行う…というのは誤りなので注意！）

(9) 運搬と移送

① 危険物取扱者の同乗

・運搬 ⇒ 不要

・移送 ⇒ 必要

② 運搬の主な基準

・容器の収納口を**上方**に向け, 積み重ねる場合は, **3m以下**とすること。

・固体の収納率は**95%以下**, 液体の収納率は**98%以下**

・指定数量以上の危険物を運搬する場合は, 車両の前後の見やすい位置に, 「**危**」の標識を掲げ, 運搬する危険物に適応した**消火設備**を設けること。

③ 移送の主な基準

・移送する危険物を取り扱うことができる危険物取扱者が乗車し, **免状を携帯すること**

⑽ 消火設備

① 消火設備の種類

第1種	屋内消火栓設備，屋外消火栓設備
第2種	スプリンクラー設備
第3種	固定式消火設備（「……消火設備」）
第4種	大型消火器
第5種	小型消火器（水バケツ，水槽，乾燥砂など）

② 主な基準

・地下タンク貯蔵所には第5種消火設備を**2個**以上，移動タンク貯蔵所には自動車用消火器を**2個**以上設置する。

・電気設備のある施設には**100m²**ごとに1個以上設置する。

・消火設備からの防護対象物までの距離

　第4種消火設備 ⇒ **30m以下**

　第5種消火設備 ⇒ **20m以下**，ただし，**簡易タンク貯蔵所，移動タンク貯蔵所，地下タンク貯蔵所，給油取扱所，販売取扱所**は，「**有効に消火できる位置**」に設ける。

・危険物は指定数量の**10倍**が1所要単位となる。

● 合格大作戦　その2　物理・化学編 ●

PART 1　物理の巻

(1)　物質の三態

① 固体と液体間の状態変化
- 融解：固体 ⇒ 液体
- 凝固：液体 ⇒ 固体

② 液体と気体間の状態変化
- 気化：液体 ⇒ 気体
- 凝縮：気体 ⇒ 液体

③ 固体と気体間の状態変化
- 昇華：固体 ⇒ 気体
　　　　気体 ⇒ 固体

(2)　沸点は，「液体の飽和蒸気圧＝外圧」の時の液温

(3)　ボイルシャルルの法則

「一定量の気体の体積は圧力に反比例し，絶対温度に比例する。」

$$\frac{PV}{T} = k\ (一定)\quad (P: 圧力,\ V: 体積,\ T: 絶対温度)$$

(4)　気体の状態方程式

$$PV = nRT\qquad (n は気体のモル数,\ R は気体定数)$$

(5)　ドルトンの法則（分圧の法則）

混合気体の全圧は各成分気体の分圧の和に等しい。

(6) **比熱と熱容量**

$C = mc$　　　（C：熱容量，m：物質の質量，c：比熱）

(7) **熱量〔Q〕の求め方**

$Q = mc \triangle t$〔J〕　＝質量×比熱×温度差

(8) **熱膨張による増加体積の求め方**

増加体積＝元の体積×体膨張率×温度差

(9) **静電気が発生しやすい条件**

① 絶縁抵抗が大きい

② 流速が大きい

③ 湿度が低い

④ 液体が液滴となって，空気中に放出される場合

⑤ 合成繊維の衣類

● 合格大作戦　その2　物理・化学編 ●

PART 2　化学の巻

(1)　物質について

① 原子の質量数＝陽子数＋中性子数

② 原子番号＝陽子数

③ アボガドロの法則：すべての気体は，同温，同圧のもとでは，同体積の中に同数の分子を含んでいる。

（⇒ 0℃ 1気圧の標準状態では，すべての気体の 1 mol は**22.4ℓ**で，その中に**6.02×10²³**個の気体分子を含みます。）

④ 　1 mol とは？　⇒　原子，分子，イオンなどの粒子が**6.02×10²³**個集まった集団を 1 mol という。

(2)　物質の種類

```
        ┌ 純物質 ┌─ 単体（酸素，水素，硫黄，鉄銅ナトリウムなど）
物質 ─┤         │
        │         └─ 化合物（水，エタノール，二酸化炭素など）
        └ 混合物（空気，ガソリン，灯油，軽油など）
```

① 混合物：2種類以上の純物質が混ざったもの

② 単体：1種類の元素からなる物質

③ 同素体：同じ元素からなる単体でも**性質**が異なる物質どうし

④ 同位体：原子番号は同じであるが，中性子数が異なるため**質量数**が異なる原子どうし（⇒原子番号が同じなので，化学的性質は同じ）

⑤ 化合物：2種類以上の元素が結合（化合）してできた物質

⑥ 異性体：分子式は同じでも構造，性質の異なる化合物どうし

(3)　化学反応式の作成法（未定係数法）

水素と酸素から水が生じる反応を例にすると，

$aH_2 + bO_2 \rightarrow cH_2O$……とおいて，両辺の原子の数より，係数を求める。

(4)　化学平衡

（窒素と水素からアンモニアが生じる反応を例にした場合）

$$N_2 + 3H_2 \rightleftharpoons 2NH_3$$

可逆反応（正反応と逆反応が存在する反応）において，正反応，逆反応の速度が等しくなり，見かけ上は変化がなくなった状態

(5) ル・シャトリエの原理

平衡状態にある可逆反応で，反応条件（濃度，圧力，温度）を変えると，その変化を打ち消す方向に平衡が移動する現象。

(6) 溶液

① 固体の溶解度：溶媒100gに溶けることのできる溶質の最大質量(g)

② ヘンリーの法則：温度が一定なら，一定量の溶媒に溶ける気体の質量は**圧力に比例**する。

③ 質量パーセント濃度

$$質量パーセント濃度〔\%〕＝\frac{溶質の質量〔g〕}{溶液の質量〔g〕}×100〔\%〕$$

④ モル濃度

$$モル濃度〔mol/\ell〕＝\frac{溶質の物質量〔mol〕}{溶液の体積〔\ell〕}$$

⑤ 質量モル濃度

$$質量モル濃度〔mol/kg〕＝\frac{溶質の物質量〔mol〕}{溶媒の質量〔kg〕}$$

⑥ 蒸気圧降下：液体に不揮発性物質を溶かした場合に，蒸気圧が**下がる**現象

⑦ 沸点上昇：液体に不揮発性物質を溶かした溶液の沸点が，溶媒の沸点より**上昇する**現象

⑧ 凝固点降下：溶液の凝固点が溶媒の凝固点より**低くなる**現象

(7) 酸と塩基

① 酸：水に溶かした場合に電離して水素イオン（H^+）を生じる物質，または相手に水素イオン（H^+）を与える物質のこと

② 塩基：水に溶かした場合に電離して水酸化物イオン（OH^-）を生じる物質，または水素イオン（H^+）を受け取る物質のこと

③ pH（水素イオン指数）

小　　←　7　→　　　大

　　酸性　　　　中性　　　アルカリ性

④ 中和：酸と塩基が反応して互いの性質を打ち消しあう反応

　　　　具体的には，**酸＋塩基→塩＋水**　という反応

⑤ 中和滴定

酸の価数×酸の物質量＝塩基の価数×塩基の物質量

の式より，濃度が不明の酸（または塩基）の水溶液の濃度を，濃度が既知の塩基（または酸）で中和させることによって求めることができる。

⑥ 中和滴定で用いられる指示薬

・強酸と強塩基の中和 ⇒ 両方とも使用可能

・弱酸と強塩基の中和 ⇒ フェノールフタレインを使用

・強酸と弱塩基の中和 ⇒ メチルオレンジを使用

⑦ 主な強酸と弱酸，強塩基と弱塩基

・強酸⇒塩酸，硝酸，過塩素酸，・弱酸⇒酢酸，炭酸，硫化水素，シュウ酸

・強塩基⇒水酸化Ｎａ，水酸化Ｃａ，水酸化Ｋ・弱塩基⇒アンモニア

(8) 酸化と還元

① 酸化

・酸素と化合する

・水素を失う

・電子を失う

② 還元

・酸素を失う

・水素と化合する

・電子を受け取る

③ 酸化数について⇒本書Ｐ180，問題24の解説参照

④ 酸化剤と還元剤

酸化剤は，自身は還元され，還元剤は自身は酸化される。

(9)　金属および電池について

①　金属のイオン化傾向（水溶液中で金属が陽イオンになろうとする性質の度合）

（大）← カ ソ ウ カ　　ナ　　マ　　ア　　ア　　テ　　ニ　　ス　　ナ

（Li ＞）K ＞ Ca＞Na＞Mg＞Al＞Zn＞Fe＞Ni＞Sn＞Pb＞

ヒ　　ド　　ス　　ギルハク（シャッ）キン　→（小）

（H₂）＞ Cu＞Hg＞Ag＞Pt＞　　　　　Au

（注：先頭のリチウムは，参考資料なので，ゴロ合わせには含まれていません。）

②　金属の腐食の防止

⇒目的とする金属よりイオン化傾向の**大きい**金属を接続して，先にその金属の方を腐食させる。

【例】　配管が鉄製の場合，上記イオン化列で鉄（Ｆｅ）より左にあるアルミニウム（Ａｌ）やマグネシウム（Ｍｇ）などを接続すればよい。（電池の起電力については P.280参照）

その他，・**エポキシ樹脂塗料**で塗装する。・**亜鉛メッキ**をする。・**ポリエチレン**などの合成樹脂で被覆なども効果的であるが，「ステンレス鋼管とつなぎ合わせると腐食しにくくなる」は誤りなので，要注意！（出題例あり）

(10)　有機化合物

①　特徴

1. 主成分が，**C（炭素）**，**H（水素）**，**O（酸素）**，**N（窒素）**と少ないが，炭素の結合の仕方により多くの化合物が存在する。
2. 一般に，**共有結合**による**分子**からなっている。
3. 一般に**燃えやすく**，燃焼すると**二酸化炭素**と**水**になる。
4. 一般に**融点**および**沸点**が低い。
5. 一般に**水に溶けにくい**が，**有機溶媒（アルコールなど）**にはよく溶ける。
6. 一般に**非電解質**である。
7. 一般に**静電気**が発生しやすい（電気の不良導体のため）。

（注：特徴は出題頻度が高いので，①と次の②の表は必ずおさえておいてください。）

② 有機化合物と無機化合物の特徴の比較

	有機化合物	無機化合物
構成元素	少ない。 （主にC，H，O，N）	多い。（すべての元素）
化学結合	ほとんどのものは，**共有結合**による**分子**からなる化合物である（⇒分子性物質）。	ほとんどのものは，**イオン結合**による**塩**からなる化合物である（⇒イオン結晶）。
燃焼性	**可燃性**のものが多い。 （⇒CやHなどの構成元素が酸素と結びつきやすいため）	**不燃性**のものが多い。
沸点と融点	沸点や融点は**低い**ものが多く**高温で分解する**ものが多い（比較的弱い分子間力によって結合しているので，その結合が簡単に外れるため）。	沸点や融点は**高い**ものが多い （強いイオン結合で結合しているので，その粒子を引き離すのに多くの熱が必要となるため）。
水への溶解性	水に**溶けにくい**ものが多い。 <例外> ヒドロキシ基をもつものやイオンになるものは水に溶けやすい。	水に**溶けやすい**ものが多い。
有機溶媒への溶解性	有機溶媒には**溶けやすい**ものが多い。	有機溶媒には**溶けにくい**ものが多い。
電離	一般に**非電解質**である。	一般に**電解質**である。
比重	水より**軽い**ものが多い。	水より**重い**ものが多い。
反応性	反応が**遅い**。 （⇒共有結合を切断するのに大きな活性化エネルギーが必要なため）	反応が**速い**。

③ 炭化水素

1．**鎖式炭化水素**（脂肪族炭化水素）と**環式炭化水素**がある。

2．単結合で結合しているものを**飽和炭化水素**といい，二重結合や三重結合も含むものを**不飽和炭化水素**という。

3．鎖式飽和炭化水素で**単結合**のものを**アルカン**，**二重結合**が1つのもの

を**アルケン，三重結合**が１つのものを**アルキン**という。

4．アルカンはメタン系酸化水素（飽和炭化水素）ともいい，メタン，エタン，プロパン，ブタンなどがある。

④ 官能基

1．**第一級アルコール**を酸化すると**アルデヒド（− CHO）**，アルデヒドを酸化すると**カルボン酸（− COOH）**になる。

2．**第二級アルコール**を酸化すると，**ケトン（＞ CO）**になる。

3．**第三級アルコール**は**酸化されにくい**。

⑤ アルコールの分類

1．**1価アルコール**は，**−ＯＨ**を**1個含むもの**（2価は2個，3価は3個）

2．**−ＯＨ**が**2個以上**のものを，特に**多価アルコール**という。

3．**第一級アルコール**は，R（Cに結合した炭化水素基）が**1個結合**したもの（第二級はRが2個，第三級はRが3個結合したもの）

4．炭素数の多いアルコールを**高級アルコール**，炭素数の少ないアルコールを**低級アルコール**といい，高級アルコールは**水に溶けにくく**，低級アルコールは**水に溶けやすい**。また，**沸点，融点**は，高級アルコールは**高く**，低級アルコールは**低い**。

⑥ 用語

1．**エステル** ⇒ **カルボン酸とアルコール**が**脱水縮合**して生成した化合物のことで，その反応を**エステル化**という。

2．**ニトロ化** ⇒ **ニトロ基（− NO$_2$）**による**置換反応**

3．**スルホン化** ⇒ **スルホ基（− SO$_3$H）**による**置換反応**

4．**脱離反応** ⇒ 有機化合物から簡単な分子が取れて二重結合や三重結合を生じる反応をいう。

5．**縮合** ⇒ 脱離反応により新しい化合物が生じる反応をいう。

6．**脱水反応** ⇒ 脱離反応のうち，**水**が脱離する反応をいう。

7．**脱水縮合** ⇒ 脱水反応によって縮合する反応をいう。

8．**付加反応** ⇒ 二重結合や三重結合の不飽和結合が切れて，その部分に他の**原子**や**原子団**が結合する反応をいう。

9. **重合** ⇒ 二重結合や三重結合の不飽和結合が切れた<u>分子量が小さな物質</u>（⇒単量体＝モノマー）が次々と結合して，<u>分子量の大きな物質</u>（**⇒重合体＝ポリマー＝高分子化合物という**）になる反応をいう。（アクリル酸，酸化プロピレン，スチレン（覚え方⇒あさっス））

10. **付加重合** ⇒ 重合のうち，付加反応によるものをいう（⇒例：エチレンがポリエチレンになる）

―< 補足 >―

各種電池の起電力（出題例あり！）

ニッケル水素　　　　：1.2V
（参考：アルカリ蓄電池 1.2V）
アルカリ，マンガン　：1.5V
鉛蓄電池　　　　　　：2 V
リチウム　　　　　　：3 V

11. 主な物質1モル当たりの理論酸素量

品名	1モルの質量	反応式	酸素量
メタノール	32g	$CH_3OH+3/2\,O_2\to CO_2+2\,H_2O$	1.5モル
メタン 酢酸	16g 60g	$CH_4+2\,O_2\to CO_2+2\,H_2O$ $CH_3COOH+2\,O_2\to 2\,CO_2+2\,H_2O$	2モル
エタノール エチレン	46g 28g	$C_2H_5OH+3\,O_2\to 2\,CO_2+3\,H_2O$ $C_2H_4+3\,O_2\to 2\,CO_2+2\,H_2O$	3モル
エタン	30g	$C_2H_6+3.5\,O_2\to 2\,CO_2+3\,H_2O$	3.5モル
アセトン	58g	$CH_3COCH_3+4\,O_2\to 3\,CO_2+3\,H_2O$	4モル
プロパン	44g	$C_3H_8+5\,O_2\to 3\,CO_2+4\,H_2O$（係数に注意！）	5モル
ベンゼン	78g	$C_6H_6+15/2\,O_2\to 6\,CO_2+3\,H_2O$	7.5モル

（その他（mol省略）…ナトリウム：1/4，水素と亜鉛：1/2，アルミニウム：3/4，炭素：1，アセチレン，アセトアルデヒド：2.5，プロパノール（1.2とも）：4.5，酢酸エチル：5，ジエチルエーテル：6，シクロヘキサン：9）

合格大作戦　その3　燃焼編

(1) 燃焼

① 燃焼とは

⇒「**熱**と**光**の発生を伴う**酸化反応**」のことをいう。

② 燃焼の三要素

可燃物，点火源（熱源），酸素供給源

(2) 燃焼の種類

① 気体の燃焼

・**予混合燃焼**：可燃性ガスと空気または酸素が，燃焼開始に先立って あらかじめ混ざり合って燃焼することをいう （⇒ 一般家庭にあるガスコンロ）。

・**拡散燃焼**：可燃性ガスと空気が混合しながら燃焼すること （⇒ ろうそくは，ロウが気化して可燃性ガスとなり，酸 素と混合しながら燃焼する）。

② 液体の燃焼

・蒸発燃焼

③ 固体の燃焼

・表面燃焼：可燃物の表面だけが（熱分解も蒸発もせず）燃える燃焼 （無炎燃焼，くん焼ともいう）

　例）木炭，コークスなど

・分解燃焼：可燃物が熱分解されて発生する可燃性ガスが燃える燃焼

　例）木材，石炭，プラスチックなどの燃焼

　内部燃焼（自己燃焼）：分解燃焼のうち，その可燃物自身に含ま れている酸素によって燃える燃焼

　　例）セルロイド（原料はニトロセルロースなど）

・蒸発燃焼：固体を加熱した場合，熱分解することなくそのまま蒸発 してその蒸気が燃えるという燃焼で，あまり一般的ではない。

例）硫黄，ナフタリンなどの燃焼

<補足>

次のアンモニアの燃焼式は出題例があります（係数の和を求める問題）。

$\underline{4}NH_3 + \underline{5}O_2 \rightarrow \underline{4}NO + \underline{6}H_2O$　　　（覚え方 ⇒ 信 号 白）

(3) 二酸化炭素と一酸化炭素

〈二酸化炭素〉	〈一酸化炭素〉
燃えない	燃える
毒性なし	有毒
水に溶け，水溶液は**弱酸性**	水にはほとんど溶けない。
液化しやすい。	液化は困難である。
空気より重い	空気より軽い

(4) 燃焼範囲（爆発範囲）

① 引火点：燃焼範囲の**下限値**（燃焼範囲のうち低い濃度の限界）の**液温**＝引火するのに十分な濃度の蒸気が発生している時の**最低の液温**

② 発火点：可燃物を空気中で加熱した場合，**点火源がなくても**発火して燃焼を開始する時の**最低の液温**

(5) 自然発火の原因となる発熱

酸化熱，分解熱，吸着熱，発酵熱，など

(6) 燃焼の難易（物質が燃えやすくなる条件）

① 酸化されやすい。

② 空気との接触面積が広い。

③ 可燃性蒸気が発生しやすい。

④ 発熱量（燃焼熱）が大きい。

⑤ 周囲の温度が高い。

⑥ 熱伝導率が小さい。

⑦ 水分が少ない（乾燥している）。

(7) **混合危険**（混合，接触した場合に発火や爆発する組合せ ⇒ 抜粋）

　　①　「第1類，第6類」＋「第2類，第4類」

　　②　酸化性塩類（第1類の**（過）塩素酸塩類，過マンガン酸塩類**）＋
　　　　強酸

(8) **粉じん爆発とガス爆発**

　粉じん爆発の最小着火エネルギーは**ガス爆発**より**大きい**ので着火しにくいが，**いったん着火した場合のエネルギーは**ガス爆発より**大きい**。

合格大作戦　その4　消火編

(1) 消火の三要素

- 除去消火：**可燃物**を除去して消火をする方法
- 窒息消火：**酸素の供給**を断って消火をする方法
- 冷却消火：燃焼物を冷却して熱源を除去し，燃焼が継続できないように
  して消火をする方法

　（負触媒（抑制）消火も加えると燃焼の四要素となる。）

(2) 適応火災と消火効果

適応火災と消火効果

消火剤		主な消火効果		適応する火災		
				普通	油	電気
水	棒状	冷却		○	×	×
	霧状			○	×	○
強化液	棒状	冷却		○	×	×
	霧状	冷却　抑制		○	○	○
泡		冷却　　　　窒息		○	○	×
ハロゲン化物		抑制　窒息		×	○	○
二酸化炭素		窒息		×	○	○
粉末	リン酸塩類*1	抑制　窒息		○	○	○
	炭酸水素塩類*2	抑制　窒息		×	○	○

注：抑制効果は負触媒効果ともいいます。
*1　リン酸アンモニウムの化学式は（NH_4）$_3PO_4$　⇒出題例あり
*2　炭酸水素ナトリウムの化学式は　$NaHCO_3$

合格大作戦　その5　性質のまとめ

(1) 比重が1より大きいもの（第2類の固形アルコールは除く）

第1類危険物，第2類危険物，第5類危険物，第6類危険物	
＋	
第3類危険物	リチウム，ノルマルブチルリチウム，水素化リチウム，ナトリウム，カリウム以外のもの
第4類危険物	二硫化炭素，クロロベンゼン，酢酸，クレオソート油，アニリン，ニトロベンゼン，エチレングリコール，グリセリン

(2) 水関係

① 水に溶ける（または溶けやすい）もの

第1類危険物	（ただし，塩素酸カリウム，過塩素酸カリウム，および無機過酸化物などは，一般に水に溶けにくい）
第4類危険物	アルコール，アセトアルデヒド，さく酸（酢酸），エーテル（少溶），エチレングリコール，グリセリン，ピリジン，アセトン，酸化プロピレン
第5類危険物	過酢酸，硫酸ヒドラジン（温水のみに溶ける），ピクリン酸（同じく温水のみに溶ける），硫酸ヒドロキシルアミン，アジ化ナトリウム，硝酸グアニジン
第6類危険物	（ただし，ハロゲン間化合物は除く）

② 水に溶けないもの
　①以外のもの

(3)　ガスを発生するもの

水と反応するもの （⇒消火に水は使えない次亜塩素酸塩類は除く）

発生するガス	ガスを発生する物質	
酸素	第1類危険物	アルカリ金属の無機過酸化物（過酸化カリウム，過酸化ナトリウム）　　　（注：発熱を伴う）
硫化水素	第2類危険物	硫化リン
水素 （出題例あり）	第2類危険物	金属粉（アルミニウム粉，亜鉛粉），マグネシウム
	第3類危険物	カリウム，ナトリウム，リチウム，バリウム，カルシウム，水素化ナトリウム，水素化リチウム，水素化カルシウム
リン化水素	第3類危険物	リン化カルシウム
アセチレンガス	第3類危険物	炭化カルシウム
塩化水素	第1類危険物	次亜塩素酸塩類
	第3類危険物	トリクロロシラン
フッ化水素	第6類危険物	三フッ化臭素，五フッ化臭素，五フッ化よう素
メタンガス	第3類危険物	炭化アルミニウム
エタンガス	第3類危険物	ジエチル亜鉛（ジエチル亜鉛はアルコール，酸とも反応してエタンガスを発生する）

加熱または燃焼によって発生するもの

発生するガス	ガスを発生する物質	
酸素	第1類危険物	**第1類危険物**を<u>加熱</u>すると発生する
	第6類危険物	**過酸化水素，（発煙）硝酸**を<u>加熱</u>又は，<u>日光</u>により発生
二酸化硫黄	第2類危険物	硫黄と硫化リンが<u>燃焼</u>する際に発生する
水素等	第3類危険物	アルキルアルミニウムを<u>加熱</u>すると発生する
シアン化水素 （青酸ガス）と窒素	第5類危険物	アゾビスイソブチロニトリルを融点以上に<u>加熱</u>すると発生する（シアンガスでの出題例あり）

その他

① 酸に溶けて水素を発生するもの

第2類危険物	鉄粉，アルミニウム粉，亜鉛粉，マグネシウム

② 酸と反応してアジ化水素酸を発生するもの

第5類危険物	アジ化ナトリウム

 こうして覚えよう！

水素を発生するもの（(3)の水素とその他の①）

水素を発生するっ　て　　ま　　あ，　　か　　な　　り，
　　　　　　　　　　鉄　マグネシウム　アルミニウムと亜鉛　カリウム　ナトリウム　リチウム

　　　　　　　　バ　　カ　　な　　り
　　　　　　　バリウム　カルシウム　（水酸化）ナトリウム　（水素化）リチウム

(4) 潮解性があるもの（主なもの）。

第1類危険物	ナトリウム系（塩素酸ナトリウム，過塩素酸ナトリウム，硝酸ナトリウム，過マンガン酸ナトリウム）＋過酸化カリウム＋硝酸アンモニウム＋三酸化クロム
第3類危険物	カリウム，ナトリウム（⇒カリウム系，ナトリウム系は，まず，潮解性を吟味する）

(5) 自然発火のおそれのあるもの

第2類危険物	赤リン（黄リンを含んだもの），鉄粉（油のしみたもの），アルミニウム粉と亜鉛粉（水分，ハロゲン元素などと接触），マグネシウム（水分と接触）
第3類危険物	（ただし，リチウムは除く）
第4類危険物	乾性油（動植物油類）
第5類危険物	ニトロセルロース（加熱，衝撃および日光）

⑹　引火性があるもの

第2類危険物	引火性固体
第5類危険物	メチルエチルケトンパーオキサイド，過酢酸，硝酸エチル，硝酸メチル，ピクリン酸

⑺　粘性のあるもの（油状の液体のもの）

第5類危険物	ニトログリセリン，メチルエチルケトンパーオキサイド
第6類危険物	過酸化水素，過塩素酸

⑻　貯蔵，取扱い方法

原則として，加熱，火気，衝撃，摩擦等を避け，密栓して冷暗所に貯蔵する。

①　水との接触をさけるもの（⇒⑶の水と反応するもの）

第1類危険物	アルカリ金属の過酸化物
第2類危険物	硫化リン，鉄粉，金属粉，マグネシウム
第3類危険物	（ただし，黄リンは除く）
第6類危険物	三フッ化臭素，五フッ化臭素，五フッ化ヨウ素

②　特に直射日光をさけるもの

第1類危険物	亜塩素酸ナトリウム，過マンガン酸カリウム，次亜塩素酸カルシウム
第2類危険物	ゴムのり，ラッカーパテ（以上，引火性固体）
第4類危険物	ジエチルエーテル，アセトン
第5類危険物	メチルエチルケトンパーオキサイド，ニトロセルロース，アジ化ナトリウム
第6類危険物	過酸化水素，硝酸（発煙硝酸含む）

③　密栓しないもの（容器のフタに通気孔を設ける）

第5類危険物	メチルエチルケトンパーオキサイド
第6類危険物	過酸化水素

④ 乾燥させると危険なもの

第5類危険物	過酸化ベンゾイル，ピクリン酸，ニトロセルロース

⑤ 第3類危険物で保護液などに貯蔵するもの（一部他の類を含む）

灯油中に貯蔵するもの	ナトリウム，カリウム，リチウム
不活性ガス（窒素等）中に貯蔵するもの	アルキルアルミニウム，ノルマルブチルリチウム，ジエチル亜鉛，水素化ナトリウム，水素化リチウム（第4類のアセトアルデヒド，酸化プロピレンも含む）
水中に貯蔵するもの	黄リン（4類の二硫化炭素も水中貯蔵する）
エタノールに貯蔵するもの	第5類のニトロセルロース

⑼ 消火方法（①と②の下線部は出題例あり）

① 注水消火するもの

第1類危険物	（ただし，アルカリ金属の過酸化物は除く）
第2類危険物	赤リン，硫黄
第3類危険物	黄リン
第5類危険物	（ただし，アジ化ナトリウムを除く。また，消火困難なものが多い。）
第6類危険物	過塩素酸，過酸化水素，硝酸（発煙硝酸含む）

② 注水が不適当なもの（＝ P286，⑶の水と反応するもの）

第1類危険物	アルカリ金属の過酸化物（過酸化カリウム，過酸化ナトリウムなど）
第2類危険物	硫化リン，鉄粉，アルミニウム粉，亜鉛粉，マグネシウム
第3類危険物	（ただし，黄リンは注水可能）
第4類危険物	
第5類危険物	アジ化ナトリウム（火災時の熱で金属ナトリウムを生成し，その金属ナトリウムに注水すると水素を発生するため）
第6類危険物	三フッ化臭素，五フッ化臭素，五フッ化ヨウ素

③　乾燥砂（膨張ひる石，膨張真珠岩含む）は，すべての類の危険物の消火に適応する（ただし，第3類危険物のアルキルアルミニウム，アルキルリチウムは初期消火のみ）。

④　ハロゲン化物消火剤が不適当な主なもの（有毒ガスを発生するため）

第3類危険物	アルキルアルミニウム，ノルマルブチルリチウム，ジエチル亜鉛

⑤　粉末消火剤について

●炭酸水素塩類の粉末のみ使用可能（リン酸塩類は不可）

⇒・第1類のアルカリ金属，アルカリ土類金属の消火

　　・第3類の禁水性物質（黄リン除く）

●リン酸塩類の粉末のみ使用可能（炭酸水素塩類は不可）

⇒・第1類のアルカリ金属，アルカリ土類金属以外の消火

●第6類のハロゲン間化合物（フッ化臭素，フッ化ヨウ素）。

資　料　1

予防規程に定める主な事項

1. 危険物の保安に関する業務を管理する者の職務及び組織に関すること。
2. 危険物保安監督者が旅行，疾病その他の事故によって，その職務を行うことができない場合にその職務を代行する者に関すること。
3. 危険物の保安に係る作業に従事する者に対する保安教育に関すること。
4. 危険物の保安のための巡視，点検及び検査に関すること。
5. 危険物施設の運転又は操作に関すること。
6. 危険物の取扱い作業の基準に関すること。
7. 補修等の方法に関すること。
8. 危険物の保安に関する記録に関すること。
9. 災害その他の非常の場合に取るべき措置に関すること。
10. 顧客に自ら給油等をさせる給油取扱所にあっては，顧客に対する監視その他保安のための措置に関すること。
    その他，危険物の保安に関し必要な事項

（「**火災などが発生した場合の損害調査に関すること**」や「**製造所等の設置にかかわる申請手続きに関すること**」などは予防規程に定める事項に含まれておらず，出題例もあるので，注意しておこう！）

資　料　2

消防法別表第1（注：指定数量は主な品名のみで，太字は出題例あり。）

類別	性質		品　名	指定数量
第1類	酸化性固体	①	1．塩素酸塩類　〈覚え方〉 2．過塩素酸塩類　イチローじゃご ざん せんか 3．無機過酸化物　1類　　50 300 1000 4．亜塩素酸塩類 5．臭素酸塩類	50kg 50kg 50kg 50kg 50kg
		②	6．硝酸塩類 7．ヨウ素酸塩類 8．過マンガン酸塩類 9．重クロム酸塩類	300kg 300kg 300kg 300kg
		③	10．その他のもので政令で定めるもの 11．前各号に掲げるもののいずれかを含有するもの	1,000kg 1,000kg
第2類	可燃性固体		1．**硫化リン**　〈覚え方〉 2．**赤リン**　いかん せん テツ 子さんは 3．**硫黄**　引火性 1000 鉄 500kg 4．鉄粉　**100均　に行く** 5．金属粉（アルミニウム粉，亜鉛粉）100kg 2類 6．**マグネシウム** 7．その他のもので政令で定めるもの 8．前各号に掲げるもののいずれかを含有するもの 9．**引火性固体**	100kg 100kg 100kg 500kg 100kg 100kg 1,000kg
第3類	自然発火性物質及び禁水性物質		1．**カリウム**　〈覚え方〉 2．**ナトリウム**　サル と オ ニ 3．アルキルアルミニウム　3類→10kg, 黄リン→20kg 4．アルキルリチウム　ごっこ 5．**黄リン**　50kg 6．アルカリ金属（カリウム及びナトリウムを除く）及びアルカリ土類金属 7．有機金属化合物（アルキルアルミニウム及びアルキルリチウムを除く） 8．金属の水素化物 9．金属のリン化物 10．カルシウム又はアルミニウムの炭化物 11．その他のもので政令で定めるもの 12．前各号に掲げるもののいずれかを含有するもの	10kg 10kg 10kg 10kg 20kg 10kg 10kg 50kg 50kg 50kg 300kg 300kg

第4類	引火性液体	1．特殊引火物	ジエチルエーテル，二硫化炭素，アセトアルデヒド，酸化プロピレンなど	50ℓ
		2．第1石油類	（非水）※ガソリン，ベンゼン，トルエンなど	200ℓ
			（水）　アセトン，ピリジン	400ℓ
		3．アルコール類	メタノール，エタノール	400ℓ
		4．第2石油類	（非水）灯油，軽油，クロロベンゼン，キシレン	1,000ℓ
			（水）　酢酸，アクリル酸	2,000ℓ
		5．第3石油類	（非水）重油，クレオソート油など	2,000ℓ
			（水）　グリセリン	4,000ℓ
		6．第4石油類　………ギヤー油，シリンダー油など		6,000ℓ
		7．動植物油類　………アマニ油，ヤシ油など		10,000ℓ
第5類	自己反応性物質	1．有機過酸化物 2．硝酸エステル類 3．ニトロ化合物 4．ニトロソ化合物 5．アゾ化合物 6．ジアゾ化合物 7．ヒドラジンの誘導体 8．その他のもので政令で定めるもの 9．前各号に掲げるもののいずれかを含有するもの	〈覚え方〉 **5類は御　殿場の** 　5類　10kg **百貨店にある** 　100kg	1種…10kg 2種…100kg
第6類	酸化性液体	1．過塩素酸 2．過酸化水素 3．硝酸 4．その他政令で定めるもの（ハロゲン間化合物など） 5．前各号に掲げるもののいずれかを含有するもの	〈覚え方〉 **ロク**さんは　**砂漠（さんびゃく）**　好き 　6類　　　　　　300kg	300kg 300kg 300kg 300kg 300kg

注）＜第1類について＞表中①は**第1種酸化性固体で指定数量は50kg**

　　　　　　　　　②は**第2種酸化性固体で指定数量は300kg**

　　　　　　　　　③は**第3種酸化性固体で指定数量は1,000kg**

＜第2類について＞第1種と第2種に分かれ，**第1種の指定数量が100kg**，**第2種の指定数量が500kg**

＜第3類について＞**第1種が10kg**，**第2種が50kg**，**第3種が300kg**

＜第5類について＞第1種と第2種に分かれ，**第1種の指定数量が10kg**，**第2種の指定数量が100kg**

（注：第4類の（非水）は非水溶液，（水）は水溶液です）

資　料　3

危険物一覧

類別	性質	品　　　　名	細　　　別
第一類	酸化性固体	塩　素　酸　塩　類	塩素酸ナトリウム
			塩素酸カリウム
			塩素酸アンモニウム
			塩素酸バリウム
			塩素酸カルシウム
		過　塩　素　酸　塩　類	過塩素酸ナトリウム
			過塩素酸カリウム
			過塩素酸アンモニウム
		無　機　過　酸　化　物	過酸化リチウム
			過酸化ナトリウム
			過酸化カリウム
			過酸化ルビジウム
			過酸化セシウム
			過酸化マグネシウム
			過酸化カルシウム
			過酸化ストロンチウム
			過酸化バリウム
		亜　塩　素　酸　塩　類	亜塩素酸ナトリウム
			亜塩素酸カリウム
			亜塩素酸銅
			亜塩素酸鉛
		臭　素　酸　塩　類	臭素酸ナトリウム
			臭素酸カリウム
			臭素酸マグネシウム
			臭素酸バリウム

硝 酸 塩 類		硝 酸 ナ ト リ ウ ム
		硝 酸 カ リ ウ ム
		硝 酸 ア ン モ ニ ウ ム
		硝 酸 バ リ ウ ム
		硝 酸 銀
ヨ ウ 素 酸 塩 類		ヨ ウ 素 酸 ナ ト リ ウ ム
		ヨ ウ 素 酸 カ リ ウ ム
		ヨ ウ 素 酸 カ ル シ ウ ム
		ヨ ウ 素 酸 亜 鉛
過 マ ン ガ ン 酸 塩 類		過 マ ン ガ ン 酸 カ リ ウ ム
		過 マ ン ガ ン 酸 ナ ト リ ウ ム
		過 マ ン ガ ン 酸 ア ン モ ニ ウ ム
重 ク ロ ム 酸 塩 類		重 ク ロ ム 酸 ア ン モ ニ ウ ム
		重 ク ロ ム 酸 カ リ ウ ム
その他のもので政令で定めるもの（過ヨウ素酸塩類，過ヨウ素酸，クロム・鉛又はヨウ素の酸化物，亜硝酸塩類，次亜塩素酸塩類，塩素化イソシアヌル酸，ペルオキソ二硫酸塩類，ペルオキソほう酸塩類，炭酸ナトリウム，過酸化水素，附加物）		過 ヨ ウ 素 酸 ナ ト リ ウ ム
		メ タ 過 ヨ ウ 素 酸
		無水クロム酸（三酸化クロム）
		二 酸 化 鉛
		五 酸 化 二 ヨ ウ 素
		亜 硝 酸 ナ ト リ ウ ム
		亜 硝 酸 カ リ ウ ム
		次 亜 塩 素 酸 カ ル シ ウ ム
		三 塩 素 化 イ ソ シ ア ヌ ル 酸
		ペ ル オ キ ソ 二 硫 酸 カ リ ウ ム
		ペ ル オ キ ソ ほ う 酸 ア ン モ ニ ウ ム
前各号に掲げるもののいずれかを含有するもの		

第二類	可燃性固体	硫化リン	三硫化リン
			五硫化リン
			七硫化リン
		赤リン	
		硫黄	
		鉄粉	
		金属粉	アルミニウム粉
			亜鉛粉
		マグネシウム	
		その他のもので政令で定めるもの (現在定められていない)	
		前各号に掲げるもののいずれかを含有するもの	
		引火性固体	固形アルコール
			ラッカーパテ
			ゴムのり
第三類	自然発火性物質及び禁水性物質（固体又は液体）	カリウム	
		ナトリウム	
		アルキルアルミニウム	
		アルキルリチウム	
		黄リン	
		アルカリ金属（カリウム及びナトリウムを除く）及びアルカリ土類金属	リチウム
			カルシウム
			バリウム
		有機金属化合物（アルキルアルミニウム及びアルキルリチウムを除く）	ジエチル亜鉛
		金属の水素化物	水素化リチウム
			水素化ナトリウム
		金属のリン化物	リン化カルシウム
		カルシウム又はアルミニウムの炭化物	炭化カルシウム
			炭化アルミニウム
		その他のもので政令で定めるもの(塩素化けい素化合物)	トリクロロシラン
		前各号に掲げるもののいずれかを含有するもの	

第四類	引火性液体	特殊引火物	ジエチルエーテル
			二硫化炭素
			アセトアルデヒド
			酸化プロピレン
		第一石油類	ガソリン
			ベンゼン
			トルエン
			メチルエチルケトン
			酢酸エチル
			アセトン
			ピリジン
		アルコール類	メタノール
			エタノール
			n-プロピルアルコール
			イソプロピルアルコール
		第二石油類	灯油
			軽油
			キシレン
			クロロベンゼン
			酢酸
		第三石油類	重油
			クレオソート油
			アニリン
			ニトロベンゼン
			エチレングリコール
			グリセリン
		第四石油類	ギヤー油
			シリンダー油
		動植物油類	ヤシ油
			アマニ油

第五類	自己反応性物質（固体又は液体）	有機過酸化物	過酸化ベンゾイル
			メチルエチルケトンパーオキサイド
		硝酸エステル類	硝酸メチル
			硝酸エチル
			ニトログリセリン
			ニトロセルロース
		ニトロ化合物	ピクリン酸
			トリニトロトルエン
		ニトロソ化合物	ジニトロソペンタメチレンテトラミン
		アゾ化合物	アゾビスイソブチロニトリル
		ジアゾ化合物	ジアゾジニトロフェノール
		ヒドラジンの誘導体	硫酸ヒドラジン
		ヒドロキシルアミン	ヒドロキシルアミン
		ヒドロキシルアミン塩類	硫酸ヒドロキシルアミン
			塩酸ヒドロキシルアミン
		その他のもので政令で定めるもの（金属のアジ化物，硝酸グアニジン）	アジ化ナトリウム
			硝酸グアニジン
		前各号に揚げるもののいずれかを含有するもの	
第六類	酸化性液体	過塩素酸	
		過酸化水素	
		硝酸	
		その他のもので政令で定めるもの（ハロゲン間化合物）	フッ化塩素
			三フッ化臭素
			五フッ化臭素
			五フッ化ヨウ素
		前各号に掲げるもののいずれかを含有するもの	

資 料 4

主な第4類危険物のデーター覧表

○：水に溶ける　△：少し溶ける　×：溶けない　　　　＊自動車用はオレンジ色

品名	物品名	水溶性	アルコール	引火点℃	発火点℃	比重	沸点℃	燃焼範囲vol%	液体の色
特殊引火物	ジエチルエーテル	△	溶	−45	160	0.71	35	1.9〜36.0	無色
	二硫化炭素	×	溶	−30	90	1.30	46	1.3〜50.0	無色
	アセトアルデヒド	○	溶	−39	175	0.78	20	4.0〜60.0	無色
	酸化プロピレン	○	溶	−37	449	0.83	35	2.8〜37.0	無色
第一石油類	ガソリン	×	溶	−40以下	約300	0.65〜0.75	40〜220	1.4〜7.6	オレンジ色（純品は無色）
	ベンゼン	×	溶	−11	498	0.88	80	1.3〜7.1	無色
	トルエン	×	溶	4	480	0.87	111	1.2〜7.1	無色
	メチルエチルケトン	△	溶	−9	404	0.8	80	1.7〜11.4	無色
	酢酸エチル	△	溶	−4	426	0.9	77	2.0〜11.5	無色
	アセトン	○	溶	−20	465	0.79	57	2.15〜13.0	無色
	ピリジン	○	溶	20	482	0.98	115.5	1.8〜12.8	無色
アルコール類	メタノール	○	溶	11	385	0.80	65	6.0〜36.0	無色
	エタノール	○	溶	13	363	0.80	78	3.3〜19.0	無色
第二石油類	灯油	×	×	40以上	約220	0.80	145〜270	1.1〜6.0	無色,淡紫黄色
	軽油	×	×	45以上	約220	0.85	170〜370	1.0〜6.0	淡黄色,淡褐色
	キシレン	×	溶	33	463	0.88	144	1.0〜6.0	無色
	クロロベンゼン	×	溶	28	593	1.1	132	1.3〜9.6	無色
	酢酸	○	溶	39	463	1.05	118	4.0〜19.9	無色
第三石油類	重油	×	溶	60〜150	250〜380	0.9〜1.0	300		褐色,暗褐色
	クレオソート油	×	溶	74	336	1以上	200		暗緑色,黄色
	アニリン	△	溶	70	615	1.01	184.6	1.3〜11	無色,淡黄色
	ニトロベンゼン	×	溶	88	482	1.2	211	1.8〜40	淡黄色,暗黄色
	エチレングリコール	○	溶	111	398	1.1	198		無色
	グリセリン	○	溶	177	370	1.26	290		無色

ご注意

（1） 本書の内容に関する問合せについては，明らかに内容の誤りがある，と思われる部分のみに限らせていただいておりますので，よろしくお願いいたします。

その際は，FAXまたは郵送，Eメールで「書名」「該当するページ」「返信先」を必ず明記の上，次の宛先までお送りください。

〒 546-0012
大阪市東住吉区中野 2 丁目 1 番27号
　（株）弘文社編集部
Eメール：henshu1@kobunsha.org
FAX：06-6702-4732

※お電話での問合せにはお答えできませんので，あらかじめご了承ください。

（2） 試験内容・受験内容・ノウハウ・問題の解き方・その他の質問指導は行っておりません。

（3） 本書の内容に関して適用した結果の影響については，上項にかかわらず責任を負いかねる場合があります。

（4） 落丁・乱丁本はお取り替えいたします。

著者略歴　工藤政孝（くどうまさたか）

　学生時代より，専門知識を得る手段として資格の取得に努め，その後，ビルトータルメンテの（株）大和にて電気主任技術者としての業務に就き，その後，土地家屋調査士事務所にて登記業務に就いた後，平成15年に資格教育研究所「大望」を設立。わかりやすい教材の開発，資格指導に取り組んでいる。

【過去に取得した資格一覧（主なもの）】

　甲種危険物取扱者，第二種電気主任技術者，第一種電気工事士，一級電気工事施工管理技士，一級ボイラー技士，ボイラー整備士，第一種冷凍機械責任者，甲種第4類消防設備士，乙種第6類消防設備士，乙種第7類消防設備士，建築物環境衛生管理技術者，二級管工事施工管理技士，下水道管理技術認定，宅地建物取引主任者，土地家屋調査士，測量士，調理師，第一種衛生管理者など多数。

【主な著書】

わかりやすい！第4類消防設備士試験
わかりやすい！第6類消防設備士試験
わかりやすい！第7類消防設備士試験
本試験によく出る！第4類消防設備士問題集
本試験によく出る！第6類消防設備士問題集
本試験によく出る！第7類消防設備士問題集
これだけはマスター！第4類消防設備士試験　筆記＋鑑別編
わかりやすい！甲種危険物取扱者試験
わかりやすい！乙種第4類危険物取扱者試験
わかりやすい！乙種（科目免除者用）1・2・3・5・6類危険物取扱者試験
わかりやすい！丙種危険物取扱者試験
最速合格！乙種第4類危険物でるぞ～問題集
最速合格！丙種危険物でるぞ～問題集
直前対策！乙種第4類危険物20回テスト
本試験形式！乙種第4類危険物取扱者模擬テスト
本試験形式！丙種危険物取扱者模擬テスト

―本試験形式！―

甲種危険物取扱者　模擬テスト

| 著　　　者 | 工^く藤^{どう}政^{まさ}孝^{たか} |

| 印刷・製本 | 亜細亜印刷株式会社 |

| 発 行 所 | 株式会社　弘文社 | 〒546-0012 大阪市東住吉区
中野 2 丁目 1 番27号
☎　　(06) 6797― 7 4 4 1
FAX (06) 6702― 4 7 3 2
振替口座 00940―2―43630
東住吉郵便局私書箱 1 号 |

| 代 表 者 | 岡﨑　　靖 | |